BLOEM

NICOLA SKINNER

Vertaling: Sandra C. Hessels | Creative Difference

HarperCollins

MIX
Papier van verantwoorde herkomst
FSC® C005833

Voor dit boek is papier gebruikt dat onafhankelijk is gecertificeerd door FSC®
ten behoeve van verantwoord bosbeheer.
Kijk voor meer informatie op www.harpercollins.co.uk/green

HarperCollins is een imprint van Uitgeverij HarperCollins Holland, Amsterdam

Oorspronkelijke titel: *Bloom*

Vertaling: Sandra C. Hessels | Creative Difference
Omslagontwerp: HarperCollins Publishers Ltd.
Bewerking: HarperCollins Holland
Illustraties: © Flavia Sorrentino
Foto auteur: © Johnny Ring
Zetwerk: Mat-Zet B.V., Soest
Druk: Tesinska Tiskarna

ISBN 978 94 027 0371 9
ISBN 978 94 027 5848 1 (e-book)
NUR 283
Eerste druk augustus 2019

Originele uitgave verschenen bij HarperCollins Children's Books, a division of HarperCollins-Publishers Ltd, London.
Deze uitgave is uitgegeven in samenwerking met HarperCollins Publishers LLC
HarperCollins Holland is een divisie van Harlequin Enterprises Limited

www.harpercollins.nl

Voor Ben, die dit mogelijk heeft gemaakt,
en Polly, met wie dit is begonnen.

Het gebeurt niet vaak dat je een gloednieuw boek opent en meteen leest dat het gevaarlijk is. Maar feiten zijn feiten, en het is een feit dat er gevaar op de loer ligt in dit boek.

Nou ja, technisch gezien zóú er gevaar op de loer kúnnen liggen. Niemand heeft er nog bewijs voor geleverd. Maar toch, er is een zeker risico aanwezig. Wat betekent dat je deze bladzijdes goed moet lezen voordat je doorbladert naar hoofdstuk 1.

Niemand is veilig. Meisjes. Jongens. Moeders. Vaders. Zussen. Broers. Tantes. Ooms. Zelfs die betovergroot-blijkbaar-is-het-familie-maar-je-zou-niet-meer-weten-hoe-precies-familieleden die je hooguit eens per jaar ziet. Ja, zelfs zij zijn niet veilig.

Het lot heeft jullie nu allemaal in het vizier.

Want alleen al door dit boek *vast te houden* en *aan te raken* ben jij – en iedereen die je kent – helaas mogelijk blootgesteld aan een substantie die volgens wetenschappers 'zeer snel vervliegend, medisch ongereguleerd en onmogelijk te genezen' is.

Of, zoals een nogal verward kijkende doktersassistent ooit tegen me zei: 'Zoiets hebben we nog nooit eerder meegemaakt, lieverd.'

Dus wees voorbereid.

De komende dagen gebeuren er misschien wat ongebruikelijke dingen. Wie weet laat je wel het bad vollopen voor je gaat slapen en wil je het dan *leegdrinken*, in plaats van erin zitten.

Mogelijk voel je iets pijnlijks op ongebruikelijke plekken.

En tot slot – welnee, je hoeft echt niet te schrikken, hoor! – kán het gebeuren dat je, ehm... hier en daar op je lichaam iets voelt groeien.

Nee, wacht! Gooi het boek alsjeblieft niet weg in afschuw! Kom terug! De kans dat jou dit ook overkomt is echt *superklein*. Grofweg iets van één op een miljoen, zo niet een miljard. (Of één op honderd, ik ben niet zo heel goed in kansberekening.) Hoe dan ook, het is *ongelooflijk* onwaarschijnlijk dat jou iets overkomt, en zelfs als dat zo is, dan heeft het absoluut geen enkele zin om nu naar de badkamer te rennen en je handen schoon te schrobben.

Je handen zijn het probleem niet.

Maar serieus, maak je vooral niet al te veel zorgen. Zelfs áls je besmet bent, dan ben je in elk geval niet de enige. Het is ons allemaal overkomen. We zien er allemaal een beetje raar uit hier.

Of zoals mijn moeder tactvol zou zeggen: 'We zijn *gegroeid*, Bloem.'

En ja, zo heet ik dus. Mijn moeder heeft iets met bloemen. En bomen. Ach, het had erger gekund. Ze is ook dol op cupcakes.

Hoofdstuk 1

Toen de kranten en verslaggevers voor het eerst naar buiten kwamen met mijn verhaal, brachten ze een hele hoop leugens de wereld in. De ergste daarvan waren:

1. Ik was een kind uit een gebroken gezin.
2. Mama redde zich maar slecht als alleenstaande moeder.
3. Met een achtergrond als de mijne was het geen wonder dat ik deed wat ik deed.

Niets hiervan klopte. Nou ja, afgezien dan van het feit dat mijn moeder er alleen voor stond. Maar het was niet haar schuld dat mijn vader ervandoor is gegaan toen ik nog maar een baby was. Maar een van die uitspraken bleef in mijn hoofd hangen. Want ik kwam inderdaad uit een gebroken gezin.

Nee, niet op de manier die zij bedoelden, zo van 'ze droeg een rafelige broek vol gaten en poetste haar tanden met suiker'. Maar ons huis voelde wel gebroken en uitgeleefd aan; er ging altijd wel iets kapot.

Als je ooit op bezoek was gekomen, zou je het vast ook hebben gemerkt. Het getik van de klok in de gang achtervolgde je altijd door het hele huis alsof hij afkeurende geluidjes maakte bij alles wat je deed. De kraan in de keuken *drup-drup-drup*'te alsof hij ergens om huilde. Als je voor de televisie ging zitten, zou hij halverwege welk programma je dan ook keek ineens geen geluid meer laten horen, alsof hij enorm zat te mokken en niet van plan was om ooit nog met iemand te praten. *Echt* niet.

Er zat een zwarte schimmelrand rondom de badkuip, onze gordijnen schoten in een of andere wanhopige ontsnappingspoging constant van de haakjes en elke keer dat we de wc doortrokken kreunden en steunden de leidingen uit protest tegen wat ze moesten doorslikken. Geloof me, als je al bij ons op bezoek was gekomen, dan zou je binnen enkele seconden alweer zijn vertrokken. Dan was je met een excuus gekomen als: 'O, eh… ik herinner me net dat ik mijn moeder had beloofd vandaag het dak te stofzuigen! Doei!' En dan was je er zo snel mogelijk vandoor gegaan.

Afgezien van mijn beste vriendin, Neena, brachten maar weinig mensen een langere tijd in ons huis door.

En raad eens hoe het heette?

Huize Welgemoed.

Als ik eerlijk ben, heb ik het nooit iemand kwalijk genomen als hij ervandoor ging. Want het waren niet alléén het vocht en de kraan en de protesterende leidingen. Er was nog veel meer. Het was de hele sfeer in het huis. Echt overal.

Een bedompte bedruktheid. Een onwrikbaar ongenoegen. Een groezelige grijzigheid. Huize Welgemoed leek altijd wel ergens chagrijnig en ongelukkig over te zijn, en er was bijna niets waar dat humeur niet in doorsijpelde. Alles was ervan vergeven, van de doorgezakte bank in de zitkamer tot aan de slaphangende nepvaren in de gang die er altijd uitzag alsof hij uitgedroogd was, ook al was hij *van plastic*.

En het allerergste was dat al die zwaarmoedigheid zo af en toe ook effect leek te hebben op mijn moeder. Niet dat ze dat ooit met zoveel woorden toegaf, maar ik wist het gewoon. Het straalde van haar af als ze aan de keukentafel zat en voor zich uit staarde. Ik zag het aan de manier waarop ze 's ochtends de trap af sjokte. Dan keek ik naar haar. En zij naar mij. En in de paar angstige seconden die het duurde voordat ze eindelijk glimlachte, dacht ik steeds: het verspreidt zich.

Maar wat kon ík nou doen om dat te veranderen? Ik was

geen loodgieter. Ik was het kleinste kind van de hele klas, dus ik kon ook niet bij de gordijnroedes. En wat het repareren van de televisie betrof, wist ik niets beters dan de oude methode van een klap erop en hopen op het beste.

In plaats daarvan had ik een andere oplossing bedacht. Namelijk dat ik me zou houden aan deze simpele regel: *Op school en thuis braaf mijn best doen, gehoorzaam zijn en doen wat me wordt gevraagd.*

En dat deed ik dus.

Ik was goed in braaf zijn.

Ik was er zelfs zo goed in dat mijn moeder regelmatig schoenendozen tekortkwam voor alle Gehoorzaamste Kind-certificaten en Schoolregelkampioen-diploma's.

Ik was zo braaf en gehoorzaam dat de leerkrachten die stage liepen aan míj vroegen hoe het precies zat met de schoolregels van de Kweekvijver. Dingen als:

Mogen leerlingen buiten rennen?

(Antwoord: nooit. Je mag licht joggen als je in gevaar bent – wanneer je bijvoorbeeld wordt achternagezeten door een beer – en zelfs dan moet je eerst achtentwintig dagen van tevoren schriftelijk om toestemming vragen.)

Is het toegestaan te glimlachen naar meneer Grittelsnert, het schoolhoofd?

(Antwoord: nooit. Hij geeft de voorkeur aan een neergeslagen blik ten teken van respect.)

Is hij altijd al zo strikt en eng geweest?

(Antwoord: dat is technisch gezien geen vraag over de schoolregels, maar aangezien je nieuw bent, zal ik het voor deze ene keer door de vingers zien. En: ja.)

Ik was zo braaf en gehoorzaam dat ik al voor het tweede schooljaar achter elkaar klassenvertegenwoordiger was.

Ik was zo braaf en gehoorzaam dat ze me op school 'Brave Bloem' noemden. Nou ja, het wás 'Brave Bloem', totdat Chrissie Valentini ergens aan het begin van groep zes daar niet snijbloem maar 'Sneubloem' van maakte. Maar dat heb ik de leraren nooit verteld.

Zo braaf was ik namelijk.

En elke keer dat ik thuiskwam van school met weer een goed cijfer, dan glimlachte mama en noemde ze me haar brave meid. Dan hing dat gebroken gevoel niet langer om haar heen, maar trok het zich weer terug tot in de donkere hoekjes van het huis.

Een poosje dan.

Hoofdstuk 2

En toen, op de eerste dag van groep zeven, afgelopen september, barstte er ineens iets. Iets waar ik best aan gehecht was. Mijn leven.

Het kwam allemaal door het terras.

Ik was na school naar huis gegaan. Mijn moeder was nog aan het werk – die had mazzel, met de Beste Baan Van De Hele Wereld – en zou pas over tweeënhalf uur thuiskomen. Ik was van plan om me te ontspannen door de keuken schoon te maken, mijn schoenen voor school te poetsen en mijn huiswerk te doen, want zo deed ik dat nu eenmaal.

Nou was mama er niet echt blij mee dat ik alleen thuis was, maar ze werkte elke dag van 's ochtends tot 's avonds en kwam pas om kwart voor zes thuis. We konden ons maar drie dagen aan naschoolse opvang veroorloven, dus dat waren woensdag, donderdag en vrijdag. Op dinsdag na school ging ik altijd met Neena mee. (Mijn onnozele beste vriendin, mijn gewiekste handlanger, mijn gewiekste beste vriendin, mijn onnozele handlanger – dat wisselde.)

Maar goed, op maandagen was ik 's middags dus alleen thuis. Elke maandagmorgen zei mijn moeder weer: 'Zorg dat het huis niet afbrandt, en maak je huiswerk.' Alsof iemand dat tegen me moest zeggen. Wie wist er altijd precies wat ze aan het doen hoorde te zijn? Wie had Bloems Praktische, Propvolle Planner opgesteld? Nou?

Ik dus. Mijn Praktische, Propvolle Planner vormde een belangrijk onderdeel van mijn brave bestaan. Het is zóveel makkelijker om alles gedaan te krijgen als je een lijstje hebt met vierkantjes die wachten tot je ze afvinkt.

Ik was dus lekker bezig. Ik poetste plakkerige jamvlekken van onze tafel. Ik leegde de vaatwasser. Ik zette de achterdeur open om de keuken door te luchten, waar het altijd vochtig rook.

Toen ik dat eenmaal allemaal gedaan had was het vijf voor halfvijf. Ik had nog een paar heerlijke minuten voor mezelf voordat ik echt aan mijn huiswerk moest beginnen, en ik wist al precies hoe ik die zou besteden.

Ik liep naar mijn rugzak en pakte de brief die ons aan het einde van die schooldag was meegegeven. En deze keer las ik hem niet vluchtig door, omringd door drukke, rumoerige klasgenootjes. Ik nam elk woord goed in me op.

Dit stond er:

Zijn de knopen van jouw jasje
altijd glimmend gepoetst?
Heb je regelmatig een Bewijs van Uitmuntend Gedrag
mee naar huis?
Zou JIJ de Kweekvijver-wedstrijd kunnen winnen
en de Ster van het Jaar worden?
Daar kom je maar op één manier achter.

Doe nu mee aan de wedstrijd om de
KWEEKVIJVER-STER te worden en maak kans
om voor de herfstvakantie uitgeroepen te
worden tot de beste KWEEKVIJVER-STER van de
hele school en Betondeugd.

Je wint bovendien een zevendaagse familievakantie
in het Zonnig Paradijs Vakantieresort in Portugal.
(Met dank aan plaatselijk reisbureau ErTussenUit
voor het beschikbaar stellen van deze prijs.)

Een familie-zonvakantie! Ik was nog nooit in het buitenland geweest, laat staan dat ik in een vliegtuig had gezeten. Mama zei altijd dat we daar niet genoeg geld voor hadden; het groeide immers niet aan een boom.

Onder aan de brief had iemand – waarschijnlijk mevrouw Pruim, de secretaresse van de school – vier kleine stokpoppetjes getekend die op het strand lagen te zonnebaden. Ze hadden ijshoorntjes in de hand en glimlachten naar elkaar.

Ze zagen er blij uit.

Ik las verder.

De winnende KWEEKVIJVER-STER
heeft de speciale kenmerken van de
ideale Kweekvijver-leerling.

Ik hield mijn adem in. *En dat waren...?*

Bij elke leerling zal worden gekeken hoe goed
hij of zij zich elke seconde van elke dag houdt
aan de schoolregels.

Ik hapte verrukt naar adem. Dat deed ik al!

Ik maakte snel een rekensommetje in mijn hoofd. Op de Kweekvijver zaten 420 leerlingen. Ik zou het moeten opnemen tegen 419 andere deelnemers. Of niet? Ik had natuurlijk al zes jaar ervaring in netjes de schoolregels volgen. De meeste kinderen uit de kleuterklassen konden nog maar nauwelijks tellen, laat staan dat ze op hun tellen konden pássen.

Het zou supersimpel zijn om die vakantie te winnen. Een kind kan de was doen. Ik voelde me bijna schuldig terwijl ik het aantal tegenstanders naar beneden toe bijstelde. *Jaja, zo kan het gaan, kindertjes.*

Bedenk vooral dat de Kweekvijver-Ster het toonbeeld en de verpersoonlijking is van ons schoolmotto: HINKELMUS PINKELMUS ROZIJNICUS LATIJNICUS. Of, in gewone taal

Ik hoefde de vertaling van de woorden niet eens te lezen, zo goed kende ik het schoolmotto. Ik keek even op en zag mijn reflectie in het keukenraam. Vlak voor me stond heel gewichtig een klein, mollig, bleek meisje met sproeten, haar haar (in de gele kleur van cheddarkaas) bijeengebonden in een knot. Ze ontmoette mijn blik vol zelfvertrouwen, alsof ze wilde zeggen: *Schoolmotto? Dat kan ik dromen! Ik kan het in mijn slaap nog opzeggen!*

Samen spraken we plechtig: '*Geef gehoor aan gehoorzaamheid. Laat je vormen door gelijkvormigheid. Voorschriften en regels voor altijd.*'

De kraan druppelde droevig door.

Ik las verder.

De gelukkige winnaar wordt bovendien beloond met speciale voorrechten, waaronder:

Een eigen stoel op het personeelspodium tijdens bijeenkomsten.
Niet meer in de rij hoeven staan voor de lunch.
Een enorme button (in uniformgrijs) met daarop de tekst:

Wat wil je nog meer? Dat is het probleem met de jeugd van tegenwoordig - jullie willen altijd maar meer, meer, meer.

Moge de beste leerling winnen.

En ga dan nu je huiswerk maar maken.

Het schoolhoofd,

meneer Grittelsnert

Ik legde de brief neer en haalde trillend adem. Dit was *mijn lot*. Het meisje in het raam en ik keken elkaar ernstig aan, alsof we stilzwijgend een verbond sloten.

Met de brief zo voorzichtig in mijn hand alsof hij van glas was gemaakt liep ik naar de koelkast. Ik wilde hem daar onder een magneet klemmen, zodat ik hem elke dag zou zien. Al zou het niet eenvoudig worden om een plekje te vinden. De koelkast hing al helemaal vol met vergeelde rekeningen, oude recepten die mama uit tijdschriften had gescheurd...

En natuurlijk ook de foto van ons tijdens onze laatste zomervakantie, twee weken geleden. Je ziet ons zitten op een klein kiezelstrand, weggekropen onder een deken onder een dreigende hemel zo grijs als de wallen onder mijn moeders ogen.

Ik staarde naar de foto en dacht er weer aan. De caravan, die rook naar het leven van iemand anders dat we per ongeluk waren binnengewandeld. Mama, die me de hele week had gesmeekt niets kapot te maken. De zes dagen dat het aan één stuk had geregend, en net toen we in de bus stapten om terug te gaan naar Betondeugd was de zon doorgebroken.

Wat alles op een of andere manier alleen maar erger had gemaakt.

Mijn moeder had de hele rit naar huis – de volledige vijf uur – met haar voorhoofd tegen het raam gedrukt gezeten, starend naar de blauwe hemel alsof het iemands verjaardagstaart was en ze wist dat zij geen stuk zou krijgen.

Naast de foto hing onze kalender van dit schooljaar. Ik zag dat mama daar nú al onze zomervakantie op had aangegeven. *CARAVAN*, stond er in dikke, rode letters. Zonder uitroeptekens. Zonder smileys.

Om eerlijk te zijn zag het er meer uit als een dreigement dan als een vakantie.

Maar als ik de wedstrijd, de zoektocht naar de Kweekvijver-Ster won, dan zouden we een echte vakantie kunnen hebben op een zonnige bestemming. Ergens ánders. Mijn verlangen sloeg om in vastberadenheid. Het enige wat ik hoefde te doen was me de komende acht weken perfect gedragen.

Simpel.

Ik had de brief van meneer Grittelsnert net boven de foto gehangen en voelde een enorme opluchting door me heen gaan terwijl mama's moeilijk fronsende gezicht verdween, toen…

BAM! De achterdeur sloeg met een klap open.

Mijn hart bonsde in mijn keel van angst. *Wie is daar?*

Maar het was niemand. Slechts een windvlaag en een deur die bijna uit zijn scharnieren vloog. Waarschijnlijk had ik hem niet goed dichtgedaan nadat ik eerder de keuken had gelucht.

De wind kwam razend naar binnen en leek de keuken te vullen met woede. Ik had het gevoel dat ik in een kamer vol onzichtbare razernij stond. Op benen zo slap als gekookte spaghettislierten strompelde ik naar de deur om hem dicht te doen en de wind buiten te houden.

Iets wits en fladderigs vloog over mijn schouder voorbij.

Ik slaakte een kreet en dook ineen.

Zat er soms een duif in onze keuken?

Ik keek nog eens goed. Het was geen witte duif met klauwen en veren; het was de brief van meneer Grittelsnert! De wind had hem van de koelkast gerukt en blies hem nu wild door de hele keuken. Toen ik opsprong om hem te pakken schoot hij net buiten bereik, alsof onzichtbare, stormachtige handen hem net voor mijn neus hadden weggegrist. Ik ving een glimp op van de stokpoppetjes die in de lucht dansten, hun glimlach omgetoverd tot een bevroren grimas, voordat ze zo de deur uit fladderden…

…en de achtertuin in vlogen.

Hoofdstuk 3

Ik moest en zou die brief terugkrijgen. Die zou me motiveren, hij vormde een belofte voor betere tijden. Dus ademde ik diep in en ik volgde hem naar buiten.

Ik wierp een vlugge blik over het terras. Dat duurde niet lang. Alles leek er nog hetzelfde uit te zien: de twee plastic stoelen waar we nooit op zaten, onkruid dat zich tussen de betontegels door omhoog wurmde en de hoge hangende treurwilg helemaal achteraan die zijn schaduw over het huis wierp.

Als ik er zo bij stond, zou ik ook treuren.

Zijn grijze stam was helemaal bedekt met een felrode, harige begroeiing die op steenpuisten leek. De takken sleepten over het beton, alsof de boom van alle ellende zijn hoofd liet hangen. Zelfs de bladeren waren lelijk: zwart en verwelkt en levenloos. De boom stond niet zozeer achter in de tuin, maar leek gehurkt ineengedoken te zitten, een beetje als een op sterven na dode trol met een huidaandoening. Mijn moeder zei dat de boom ziek was. Joh, zou je denken?

De brief van meneer Grittelsnert was echter nergens te bekennen. Ik wilde het net opgeven, toen een wapperend iets aan de voet van de boom mijn aandacht trok. Het papier had zich op de een of andere manier rond een van de lage, dorre takken van de boom weten te wikkelen. Ik zag nog net `het toonbeeld en de verpersoonlijking` staan, en een stokpoppetje dat vastgeklemd zat onder een stel verschrompelde bladeren. Ik had medelijden met het poppetje. Onder een zieke boom in iemands achtertuin liggen was niet bepaald de vakantie van je leven.

'Dank je wel. Geef dat maar weer aan mij.' Ik tilde de tak heel voorzichtig op – een beetje bang om ook besmet te worden door de infectie van de boom, wat die dan ook was – en bukte me om de brief te pakken.

ZOEM! De lucht leek ineens elektrisch geladen en zinderde krachtig om me heen. De geluiden van de tuin werden uitvergroot tot een enorm kabaal. De ritselende dode bladeren in de takken boven me leken wel een donderende rammelaar. Een duif kirde en het klonk als een kettingzaag. Maar nog angstaanjagender dan al die dingen waren de ogenblikken van stilte tussen die geluiden in. Die waren griezelig en bedrukkend.

Het voelde…

IK HEB OP JE GEWACHT.

Ik draaide helemaal om. *Wie zei dat?*

Mijn hart bonkte zo luid dat ik bijna niets anders meer hoorde. Het terras was verder verlaten.

Er verscheen een laagje ijskoud zweet op mijn huid. Alles was tegelijkertijd echt en onwerkelijk, te luid en te stil.

Toe nou, Bloem, adem in en adem uit. Langzaamaan. Ik wist me genoeg te kalmeren om te kunnen nadenken. Wat was er zojuist gebeurd? Ik wilde me alleen maar bukken om de brief te pakken. Had de boom me vergiftigd en een of andere afgrijselijke ziekte naar mijn hersens gestuurd waardoor ik nu allerlei dingen hoorde? Of misschien was al het bloed naar mijn hoofd gezakt toen ik me bukte? Misschien had ik niet genoeg gegeten. Misschien moest ik terug de keuken in, eens kijken of ik mezelf niet een snack kon bezorgen.

Maar wat was dat, wat bewoog daar vlak bij mijn voeten? Ratten?

Daar was het weer!

Terwijl ik om me heen keek en beefde van angst, besefte ik dat er helemaal niets zwarts of kronkeligs naast mijn voeten zat.

De beweging kwam van ónder mijn voeten.

Alsof daar… iets zat. Onder het beton.

Iets wat zich omdraaide.

Daarbeneden.

'Hallo?'

Ik klonk als een pasgeboren lammetje dat in zijn eentje op een heuvel stond te blaten.

'Is daar iemand?'

De ramen van het huis keken me uitdrukkingsloos aan.

VLUCHT, zei ik tegen mezelf. **NU!**

Het lukte me om één stap te zetten, weg bij de boom, en toen begon de tegel onder mijn voeten op en neer te bewegen, alsof er diep in de aarde iets zat wat dat beton – of mij – van zijn rug probeerde te schudden.

Is dit soms een aardbeving?

Mijn mond ging open voor een schreeuw, maar er kwam geen geluid uit. Happend naar lucht keek ik opnieuw omlaag. De betontegel onder mijn voeten brak als een twijgje doormidden. De scheur leek als een warm mes door de boter te glijden; hij maakte vaart en spleet het hele terras open, van de boom tot aan de achterdeur, en liet een spoor van verbrijzeld beton achter.

De schade was het ergst bij de boom zelf. In de betontegels rondom de stam zaten scheuren die naar buiten toe liepen, in een soort ruwe cirkelvorm. Het leek wel alsof de stam probeerde te grijnzen met een mond vol afgebroken tanden. En toen zag ik iets in de gebarsten tegel onder mijn voeten klem zitten.

En ik kon niet meer wegkijken.

Hoofdstuk 4

Ken je dat gevoel dat je paaseieren aan het zoeken bent en dat je zo'n voorgevoel hebt over waar je een ei kunt vinden, vlak voordat je het ook precies op die plek ziet liggen? Dat gevoel had ik nu dus ook. Alsof iemand op die plek een schat had begraven, speciaal voor mij.

En niet alleen dat, maar ook alsof die schat daar al mijn hele leven op mij had liggen wachten.

Ik voelde me uitgeput en doodsbang, zo uitgewrongen als een oude sok die te lang had meegedraaid op de centrifugestand van de wasmachine. Toch liet ik me op mijn knieën zakken om het van dichterbij te bekijken. Het ding in die scheur was bruin en papierachtig. Ik kon alleen de bovenkant zien, maar het leek wel een blaadje.

En weet je wat nou het rare was? Ook al sprong het verstandige meisje in mij op en neer van ongeloof – waar was ik mee bezig, probeerde ik nou echt een willekeurig blaadje te redden terwijl ik me het huis in moest haasten, op zoek naar dekking voor het geval er een tweede aardbeving zou volgen? – er was een ander stemmetje in mij dat er heel anders over dacht. En dat leek aan het langste eind van het wilskracht-touw te trekken, want ik was al helemaal bezweet en warm en geobsedeerd bezig mijn vingers in de scheur van een gebarsten brok beton te steken om dit ding eruit te peuteren.

En toen gloeide het.

Ik staarde ernaar. Ik wreef in mijn ogen. Opnieuw zette ik mijn ogen aan het werk. Maar nee, nu gloeide het niet meer. Maar een seconde lang leek het wel eventjes tot leven te zijn gekomen…

Opeens kon mijn huiswerk me helemaal niets meer schelen. Ik maalde niet om mijn planner en mijn to-dolijst. Ik zat er zelfs niet mee dat mijn schoolbroek hier vies van kon worden. Gretig stak ik mijn hand uit. Maar mijn vingers waren te breed en het zat minstens vijftien centimeter te diep weggestopt. Mijn vingertoppen krabden wanhopig, maar ze raakten het net niet.

Ik holde de keuken in, trok een keukenla open en rommelde er met trillende handen verwoed in rond. Ik had iets nodig om in de scheur te steken wat smal en scherp was, zodat ik datgene wat erin zat eruit kon vissen. Een barbecueknijper? Nee, die paste niet in het gat. Een cocktailprikker? Dat zou kunnen werken.

Ik rende weer terug naar buiten, knielde neer op de tegel en stak de cocktailprikker in de scheur. Hij paste perfect, maar was niet lang genoeg. Ik had kunnen huilen van frustratie. Al wist ik niet waarom ik het zo belangrijk vond. Op een of andere manier was ik gebiologeerd.

Weer haastte ik me naar binnen. Ik trok een tweede keukenla open en zag daar een vergeeld plastic etui liggen met allerlei papieren en een rol vershoudfolie erin. Handig als je je papieren ooit vers wilt houden, maar minder als je iets zoekt om een onverklaarbaar iets op te spiesen wat je terras zojuist heeft uitgebraakt.

Vergeet je reddingsmissie. Ga verder met wat je aan het doen was en zorg dat je al die verloren tijd inhaalt.

Ik liep terug om de brief van meneer Grittelsnert uit de onderste takken van de boom vandaan te halen en wierp nog een laatste blik op de gebarsten betontegel. Dat was vreemd. Dat ding dat daar klem zat leek wel… te zijn verplaatst.

Ik zag nu een bruin hoekje uitsteken. Daardoor zou het veel eenvoudiger los te trekken zijn. Maar het zat daarnet toch nog zo diep dat ik er met de cocktailprikker niet bij kon?

Op dat moment had ik verstandig kunnen zijn. Ik had terug het huis in kunnen lopen en het alarmnummer kunnen bellen. Ik had melding kunnen maken van een Ongeïdentificeerd Bruin Papierachtig Ding en dat door de autoriteiten kunnen laten verwijderen. Dan had ik nog een paar weken op die opwindende gebeurtenis kunnen teren en daarna mijn leven weer kunnen oppakken.

Maar dat deed ik niet.

En dat is iets waar ik de rest van mijn leven mee zal moeten leven. En mogelijk, ook al is die kans *onwaarschijnlijk klein*, geldt dat ook voor jou. Maar laat ik je eerst even een belangrijk advies geven, voor je gemoedsrust.

Als je op welke manier dan ook verandert door dit boek, dan heb je in eerste instantie misschien de neiging om mij daarvan de schuld te geven. Maar daar moet je je overheen zetten. Serieus. Iemand verwijten maken is een giftige emotie waar uiteindelijk alleen jijzelf de nadelen van ondervindt. Dus onthoud het goed: geen verwijten. Niet de schuld doorschuiven. Ga voor een dappere aanvaarding van je lot. Dat advies geef ik je als een vriendin. Je kunt anders ook nog proberen een kussen te stompen, dat schijnt ook te helpen.

Waar waren we gebleven? O ja. Ik stond een beetje te rillen in de schaduw en keek nog eens goed. Ik had gelijk, het oude papieren voorwerp was inderdaad verplaatst. De bovenste helft stak nu in zijn geheel uit de scheur vandaan. Hoe was dat nu weer mogelijk?

Mijn hersens snelden al voor me uit, koortsachtig op zoek naar een verklaring. Misschien was er een nieuwe aardschok geweest toen ik in de keuken was en hadden de trillingen het losgewerkt?

Ik bukte me en stak mijn hand uit. Toen mijn vingertoppen het voorwerp licht aanraakten, schoot er een vlaag van energie door mijn arm naar boven, net alsof er allemaal kleine elektrische schokjes over mijn botten huppelden. Een seconde lang had ik een visioen. Felgroen gras, vochtig met dauwdruppels. Een wirwar van boomwortels.

Ik trok het hele ding los en ging rechtop staan. Nu hield ik het in mijn handen, en het voelde zo licht dat het bijna gewichtloos leek.

Ik staarde er gretig naar en vroeg me af wat voor schat ik had ontdekt.

Het was een…

…bruine papieren envelop.

Een bruine papieren envelop, dames en heren!

Teleurgesteld en ook volledig verbijsterd veegde ik de aarde ervanaf, waardoor er krullerige letters op één kant zichtbaar werden: ZONDERLINGE ZAADJES. De woorden waren erop geschreven in een vervaagde, ouderwetse groene inkt.

Eronder stond het zinnetje: DEZE ZAADJES ZAAIEN ZICH ALS VANZELF.

Ik draaide het envelopje om, in de hoop daar meer uitleg te vinden, of in elk geval iets spannenders dan dit. Maar er stond niets.

Geen instructies.

Geen 'te gebruiken tot'-datum.

Geen afbeelding.

Geen hashtag.

Niet eens een streepjescode, mensen!

Ik schudde gefrustreerd met het envelopje. Er rammelde iets binnenin.

Ik schudde het opnieuw. Het rammelde weer. *Ieks.*

Dat ging ik dus *echt niet* openmaken. Wie weet wat er dan naar buiten zou komen kruipen? In plaats daarvan hield ik het omhoog tegen de hemel van de late namiddag. Met het licht dat door het dunne papier heen scheen zag ik dat er een stuk of dertig kleine zwarte dingetjes in zaten.

Deze dingetjes hadden kleine, ronde, zwarte lijfjes waar vier dunne, zwarte staafjes uit staken. Ze bewogen niet; ze zagen eruit alsof ze lang geleden al waren uitgedroogd. Maar griezelig waren ze wel. Zelfs het feit dat ze níét bewogen was angstaanjagend.

Hier heb je een lijstje van dingen waar ze op leken:

1. Kleine, versteende kwallen.
2. Ruimtewezens met vier pootjes, zonder gezicht.
3. Opgedroogde afgehakte hoofdjes met warrig haar.

Ik staarde er opnieuw naar. Ze leken te wachten tot ik iets zou doen. Maar wat dan?

Mijn wangen brandden. Vermengd met dat trillende gevoel van walging was het idee dat ik voor de gek gehouden werd. Net alsof je je verheugt op iets waarvan je denkt dat het heel spannend zal worden, en dat is het dan niet. Zoals die keer dat we in groep vier op schoolreis gingen naar de theedoekenfabriek van Betondeugd. (En geloof me, dat is dus lang niet zo'n adrenalinekick als het klinkt. En ze hebben een zeer beperkt aanbod in de souvenirwinkel, als je begrijpt wat ik bedoel.)

Ik verfrommelde het envelopje in mijn hand, griste de brief van meneer Grittelsnert mee, liep stampend terug het huis in en deed de achterdeur stevig achter me op slot.

Want – en nu moet je goed opletten, lezer, want hier volgt helemaal gratis en voor niks een belangrijke levensles – als je jezelf wilt beschermen tegen mysterieuze zwarte magie waar je volkomen machteloos tegenover staat, dan moet je het meenemen je huis in en de deur achter je op slot draaien, zodat je *samen met die magie opgesloten zit. Binnen.* Ja, dat is echt dé manier.

Dat zeg ik. Die kun je zo in je zak steken.

Hoofdstuk 5

Mijn moeder had de beste baan van de hele wereld. Ze bracht haar dagen door met staren naar bergen van kaas, meren van tomatensaus en een triljoen gigantische buizen vol kruidige pepperoniplakjes die vanuit het plafond van de fabriek omlaag werden gesluisd als een soort zegen van de pizzagoden. Mama maakte pizza's bij Chillz, de diepvriespizzafabriek bij ons in het stadje.

Nou ja, als je echt waarde hecht aan details, dan waren het de machines die de pizza's maakten en mama die het onderhoud van die machines voor haar rekening nam. Ze maakte ze schoon, regelde technische storingen en liet de fabriek sluiten als er een verontreiniging was geconstateerd. Ze was dus niet zozeer een pizzabakker als wel een machineverzorger.

Dat bleef ze me althans steeds maar inpeperen. In mijn ogen maakte mama pizza's. Bovendien mocht ze daarbij een geweldige overall in pizzathema dragen, met overal rode en groene vlekken zodat ze leek op een punt van het bestverkopende product van het Cheap Chillz-aanbod. (De SmaakeXplosie! van pepperoni en groene pepers, voor nog geen euro. Ja, voor een héle pizza! Ik wéét 't!) Ik hield van die overall, en nog meer van de button in de vorm van een pizzapunt die op het borstzakje gespeld was met daarop:

AANGENAAM:
TRIXIE AKKERMAN,
MACHINEONDERHOUD

En alsof dat allemaal nog niet fantastisch genoeg was, mocht zij ook altijd als eerste een keuze maken uit de afgekeurde pizza's die van de lopende band waren gerold. Dat waren de pizza's met net iets te veel of juist te weinig toppings erop, pizza's die niet volmaakt rond waren of die een millimeter boven of onder de voorgeschreven Chillz-dikte van 2,1 centimeter vielen.

De meeste afgekeurde pizza's werden aan het einde van de dag vermalen, maar mama nam er altijd zo veel mee als er in de kofferbak van de auto pasten, want ik was er dol op. Ze waren zo lekker kazig. En kruidig. En er zaten allerlei onherkenbare schijfjes van het een of ander op; het hadden champignons kunnen zijn, maar niemand wist het zeker, en dat hoorde bij de pizzamagie. En ze waren ook nog eens allemaal voor mij. Want mama at er gek genoeg nooit een hap van.

Eenmaal binnen gooide ik het envelopje Zonderlinge Zaadjes op tafel, pakte een diepvriespizza uit de vriezer en probeerde te bevatten wat er daarbuiten op het terras was gebeurd. Zou ik de politie moeten bellen om een aardbeving door te geven? Zou mijn moeder het in de fabriek ook gevoeld hebben? Zouden de pizza's er last van gehad hebben? Hoe kon dat envelopje nou gaan gloeien, diep in de aarde? En hoeveel problemen zou het gebroken terras me opleveren als mama het te zien kreeg?

Het werd me te veel. Ik besloot me onder te dompelen in een onschuldige dagdroom om tot rust te komen. In die dagdroom stapten we uit een vliegtuig, in Portugal. Mama straalde terwijl ze zich omdraaide om naar mij te kijken. En die donkere wallen onder haar ogen waren verdwenen.

Ik glimlachte een stralende glimlach terug.

'Kom, we gaan zwemmen. Hoe was de schoolslag?' vroeg ze terwijl er een briesje dat licht naar kokosnoot rook door ons haar blies. Ik hoorde haar zo duidelijk, het was net alsof we er echt waren. 'Hoe was het op school, schat?'

Eh... wat?

Mijn dagdroom vervaagde en een kleine, mollige vrouw met geblondeerd haar kwam ervoor in beeld. Haar schildpadmontuur stond op het puntje van haar neus en zoals altijd stond haar pizzaoverall haar fantastisch, al glimlachte ze lang niet zo breed als ze in de dagdroom had gedaan.

'Hoe was je dag?' vroeg ze, en ze legde haar handen tegen mijn wangen.

Ik deed mijn best haar ijskoude vingers niet van mijn huid af te pellen. (Haar huid voelde altijd ijskoud – dat krijg je ervan als je bij temperaturen onder nul werkt! Da's nog eens een *coole* moeder, vind je niet?)

Ik aarzelde. *Waar te beginnen?* 'Ik geloof dat er net een aardbeving was.'

De kraan liet bedroefd een druppel vallen.

'Wat?'

'Ik was buiten in de achtertuin en... ineens was alles keihard. Ik hoorde een kettingzaag, maar dat was een duif, en... Zijn de pizza's wel goed gerezen? Ik was bang dat...'

Mijn moeder trok een wenkbrauw op. 'Wat?' vroeg ze voorzichtig.

Ik ademde diep in. Het leek nu allemaal net een waanzinnige droom; de details zakten al weg, en het was moeilijk om te achterhalen wat er echt gebeurd was, en wat alleen een vervormde flard was van mijn schrikachtige verbeelding.

'Het terras schokte.'

'Het schókte?'

'En toen barstte het.'

'Het bárstte?'

'En toen vond ik iets.'

'Je vónd iets?'

We staarden elkaar aan.

'Ik denk dat je het maar beter kunt laten zien,' zei ze.

Ik deed de achterdeur van het slot en wees met een trillende vinger naar de puinhoop van opengescheurd beton. 'Daar.'

Mama's handen vlogen naar haar gezicht en haar mond zakte open, maar ze zei niets. Ze stond daar maar in haar smoezelig witte sokken naar de chaos te staren, en haar stilte was op een of andere manier net zo luid als het splijtende terras was geweest.

'Het w-was n-niet m-mijn schuld, mama,' flapte ik eruit.

'Ik geloof je,' zei ze terwijl ze zich omdraaide. 'Waar was je toen het gebeurde?'

'Buiten bij de wilg.'

Ze fronste haar wenkbrauwen. 'Je kent de regels, Bloem. Je mag niet bij die boom in de buurt komen. Dat is niet veilig.'

'Maar ik had een goede reden.'

Ik vertelde haar over de belangrijke brief van meneer Grittelsnert en de tak waar die zich omheen had gewikkeld. Maar ze leek niet erg geïnteresseerd in de brief of de wedstrijd. Ik bedoel, serieus, ik had het net zo goed tegen een sok kunnen zeggen. Maar ik wist dat ze er net zo opgetogen over zou zijn als ik wanneer het tijd had gehad om te bezinken.

We liepen terug de keuken in. Mama ging aan de tafel zitten, slaakte een diepe zucht en zette haar bril af.

Nadat ze eventjes in haar ogen had gewreven pakte ze haar mobieltje. 'Er staat niets over een aardbeving in het plaatselijke nieuws.' Haar afgekloven vingernagels vlogen over de toetsen. 'Bodemdaling,' kondigde ze na een poosje aan.

'Huh?'

'Als de aarde verzakt, dan kan dat trillingen veroorzaken. Dan scheurt het beton. Of zo.'

Ze stond op en liep naar de waterkoker toe. 'Het móét haast wel die boom zijn geweest, die is vreselijk ziek. Ik durf te wedden dat al zijn nare wortels aan het afsterven zijn en dat de grond eromheen daardoor inzakt. Beloof me dat je daar niet meer in de buurt komt.'

Terwijl het water begon te koken staarde ze door het raam naar buiten, en ze wriemelde aan de zilveren ringetjes in haar oren. 'Die verdraaide boom ook,' verzuchtte ze. 'We moeten er niet alleen de rest van ons leven naar kijken, maar nu kost het me ook nog een rib uit mijn lijf om...'

'Waaróm moeten we er eigenlijk ons hele leven naar blijven kijken?' Ik had ineens een ingeving. Ik voelde me heel slim dat ik dit bedacht voordat mama zover was. 'Waarom laten we hem niet gewoon omhakken?'

Ze schonk kokend water in haar beker en deed er melk bij. 'Voordat ik dit huis mocht kopen, moest ik ermee instemmen die boom nooit te laten weghalen of beschadigen. De notaris drong er nogal op aan. Hij liet me er speciaal voor tekenen en alles.'

Ze knabbelde aan een biscuitje. 'Ik lette niet echt heel goed op, als ik eerlijk mag zijn. Jij was nog maar een baby'tje, je vader was 'm net gesmeerd en ik wilde alleen maar een huis voor jou en mij samen.'

Ze dronk haar thee met grote slokken en staarde naar de wolken. 'Dit leek me een perfecte plek om een baby groot te brengen. Met een brede stoep voor de kinderwagen. Er werden ook constant nieuwe huizen bijgebouwd. Ik zou beloofd hebben mijn oren pimpelpaars te verven en het volkslied te zingen in bananenkostuum als dat betekende dat het huis van mij zou zijn. Dus zette ik mijn handtekening. Ik was ook gek ook,' zei ze met een hol lachje. 'Maar in die tijd zag die boom er nog niet zo heel erg uit. Hij is door de jaren heen wel afgetakeld.' Ze schonk hem nog een laatste, afkeurende blik en kwam weer zitten. Door de vegen uitgelopen mascara leken haar wallen nog donkerder.

De leidingen kreunden. Mijn maag draaide zich misselijk om. Het was weer zover, het droevige gevoel van het huis was ook mama weer binnengedrongen.

Maar ze toverde een vrolijke glimlach tevoorschijn en stak haar hand uit naar de mijne. 'Maak je geen zorgen. Misschien is dit een goede gelegenheid om alles eens een voorjaarsschoonmaakbeurt te geven. We zullen nieuw beton laten storten en...' Ze snoof aan de lucht en hield haar neus schuin als een echte expert. 'Een afgekeurde Pizza Speciale met onherkenbare toppings?'

'Ja.'

'Wil je daar misschien nog wat zelfgemaakte limonade bij?'

'Graag.'

Mijn moeder rommelde neuriënd door de koelkast terwijl ik mijn pizza uit de oven haalde. Toen ik een plekje wilde vrijmaken op tafel zag ik de Zonderlinge Zaadjes liggen. Ze lagen nog op precies dezelfde plek als ik ze had neergelegd, vlak bij het peper-en-zoutstel. Misschien wist mama wel wat het waren.

'Kijk,' zei ik, en ik hield het envelopje voor me uit. Maar de rest van de zin kwam niet meer over mijn lippen; het was net alsof ik ineens mijn stem kwijt was. Ik probeerde het nog een keer. 'Ke... mmm, dit vvvond...'

Mijn lippen voelden opeens rubberachtig en slap. Het was onmogelijk om gewone woorden te vormen.

Terwijl ik daar zat en mijn lippen op en neer bewogen als deinende serpentines op een feestje en ik een gekreun liet horen, stak mijn moeder haar hoofd om de deur van de koelkast heen. 'Is alles oké?'

Met een bovenmenselijke inspanning lukte het me mijn lippen op elkaar te persen, maar dit had het gruwelijke gevolg dat ik ze had dichtgelijmd. 'Mmmm,' was het enige wat er nog uit kwam. 'Mmmm,' zei ik weer, wanhopig.

'O, je verheugt je op je pizza.' Ze liep naar de gootsteen toe.

Ik probeerde haar nog terug te roepen. 'Mmmm! Mmmm!'

'Jaja, lieve schat, ik snap al wat je bedoelt,' zei ze boven het gesputter en gekreun van de kraan uit. 'Ik ga even naar boven om deze overall uit te trekken.'

Het had geen zin. Snel keek ik om me heen, op zoek naar een pen, zodat ik een berichtje kon opschrijven en om hulp kon vragen. Maar wat zou ik schrijven?

O, hoi, mam.

Ik ben het maar.

Ik denk dat ik misschien een beetje doordraai. En hoe is het met jou?

Nu we het er toch niet over hebben, ik kan niet meer praten omdat mijn lippen op raadselachtige wijze aan elkaar vastzitten. Ik denk dat dit allemaal te maken heeft met wat er buiten gebeurde. De details zijn een beetje vaag, moet ik eerlijk bekennen, maar ik hoorde stemmen en ik dacht dat ik in de gaten gehouden werd en ik zag rare, gloeiende dingen die ik niet kon verklaren.

Misschien wil jij uitvinden hoe het zit met dit envelopje dat ik heb gevonden – heb je interesse in kleine, zwarte, bewegingloze voorwerpen die wel iets weg hebben van kwallen?

Maar nog even over mijn mond die niet meer open kan. Ik voel me heel raar. Zou je een dokter kunnen laten komen, alsjeblieft?

O, ja, die dokter zou ze meteen laten komen.

Misschien moet ik het haar maar niet vertellen. Mama had al genoeg aan haar hoofd. En bovendien, wat als zij het dan weer aan een vriendin toevertrouwde? Zo werkte je geruchten in de hand. 'Ik maak me een beetje zorgen om Bloem' zou dan algauw iets worden als 'Trixies dochter heeft ze niet meer allemaal op een rijtje' en tegen de tijd dat het meneer Grittelsnert bereikte zou het iets zijn als: 'Gehoorzame leerling? Bloem Akkerman is niet eens de baas over haar eigen mond!' En Chrissie zou vast weer een of andere irritante bijnaam verzinnen waar ik me dan weer een jaar lang doorheen moest grijnzen. 'Bloem Mummelman' zou vast hoog op haar lijstje eindigen.

Ik draaide me om op mijn stoel, pakte mijn schooltas en stopte het envelopje met Zonderlinge Zaadjes helemaal onderin weg. Zodra ze verstopt zaten, bewogen mijn lippen weer van elkaar.

'Eén, twee, drie... test,' zei ik zachtjes voor me uit. Yep, ik kon gewoon weer praten.

'Sorry, wat?' Mijn moeder stond ineens weer in de deuropening in haar zwarte joggingbroek en een spijkershirt en met een blik in haar ogen die wilde zeggen dat ze op het punt stond om de thermometer te pakken.

'Niets, hoor.'

En zo begon dit geheim, geloof ik.

De volgende ochtend at ik net de laatste happen van mijn geroosterde brood op toen er op de deur werd geklopt.

Ik deed open. Slikte. Kromp ineen. En deed mijn best om mijn gezicht in de plooi te houden.

‘Wat was het deze keer?’ vroeg ik het meisje met zwart, warrig haar dat voor de deur stond.

‘Waterstofperoxide en natriumjodide.’ Ze grijnsde bij de herinnering, die haar leek te laten stralen van plezier. ‘Ik gooide wat zeep in het bekerglas om te kijken hoeveel gas erin zat en *BOEM!*’

‘Was het een heftige reactie?’ vroeg ik met een vlugge blik naar de pijnlijk rauwe wond op de plek waar Neena’s rechterwenkbrauw normaal gesproken zat.

'Niet zo heftig als die van mama,' mompelde ze, met een hoofdknik in de richting van de netjes geklede vrouw vlak achter haar. 'Het experiment zelf is perfect verlopen.'

'*Moezje taakat die-zjie-ye*,' zei Neena's moeder, waarvan ik weet dat het Hindi is voor *geef me kracht*, want mevrouw Gupta zegt het regelmatig over Neena.

We wisselden een veelbetekenende blik met elkaar.

Neena versleet aardig wat wenkbrauwen in naam van de wetenschap. Als ze er niet over praatte, droomde of nadacht, dan zat ze wel opgesloten in het van ratten vergeven schuurtje in hun tuin, waar ze haar gezicht een make-over bezorgde met een scheikundeset uit een tweedehandswinkel die gevaarlijk ver over de houdbaarheidsdatum heen was.

Neena en ik zijn drie uur na elkaar geboren. Onze moeders leerden elkaar kennen op de kraamafdeling en ze vormden een vriendschap onder het genot van zelfgemaakte Indiase lekkernijen die mevrouw Gupta mee het ziekenhuis in had gesmokkeld. Als baby had ik me nooit erg veel van Neena aangetrokken; ik vond dingen als huilen en kwijlen allemaal veel boeiender. Maar dat veranderde op het feestje van mijn vijfde verjaardag. Toen alle andere jongens en meisjes zes minuten na aankomst al begonnen te huilen in onze zitkamer, had zij hen alleen maar aangestaard, en daarna was ze verdergegaan met het heel rustig rammelen met al mijn cadeaus.

Een voor een werden de andere kinderen meegenomen door hun bezorgde ouders. 'Het spijt ons heel erg, maar we kunnen niet blijven,' zeiden ze allemaal. 'Mijn kleine, lieve engeltje heeft zoiets nog nooit eerder gedaan, hij zal wel verhoging of koorts krijgen, of een of ander virusje te pakken hebben. Nee, maak je echt niet druk om de uitdeelzakjes, ik zou niet willen dat je zo veel moeite doet om...' Huize Welgemoed was algauw weer leeggestroomd. Mijn feestje was pas tien minuten bezig en Neena was de enige nog overgebleven gast.

Ik hield mijn adem in. Onze moeders bleven een beetje zenuwachtig in de buurt staan met enorme dienbladen vol lekkers waar ze de hele ochtend mee bezig waren geweest. Ik keek naar Neena. Neena keek naar mij. En toen zei ze iets wat zo wijs was, zo diepzinnig, zo geruststellend, dat ik het nooit ben vergeten. Ze zei: 'Taart.'

Die middag hebben we met z'n vieren de hele taart opgegeten. Neena zong ook 'Lang zal je leven' voor me, extra hard, heeft me bij elk cadeautje geholpen het open te maken en weigerde te vertrekken tot we tien coupletten van 'Als je blij bent en je weet het' gezongen hadden. Vanaf die dag waren we voor altijd beste vriendinnen.

'Zijn we klaar om te gaan?' vroeg mevrouw Gupta.

Terwijl we naar school liepen nam Neena me even goed in zich op. 'Er is vandaag iets anders aan jou,' zei ze.

‘Is het mijn haar?’ Ik gaf er een voorzichtig klopje op. Ik was die ochtend extra lang bezig geweest met mijn paardenstaart om ervoor te zorgen dat elk plukje haar plat tegen mijn hoofd zat. Elk detail was van belang op de eerste dag van de Kweekvijver-Stercompetitie.

‘Nee.’

‘Mijn schoenen?’ Ik wees ernaar met een zwierig gebaar.

‘Bloem, jouw schoenen glimmen altíjd zo.’

‘Zie ik er langer uit, soms?’ vroeg ik terloops.

Neena keek me medelevend aan. ‘Nee.’ Ze bekeek me nog eens goed. ‘Ik kan mijn vinger er niet op leggen, maar er is echt iets heel nieuws met je aan de hand.’

‘Misschien is het mijn gezicht wel. Straal ik soms?’

‘Wat?’ vroeg Neena met een frons.

‘Of ik straal. Je weet wel, vanwege de wedstrijd? De zoektocht naar de Kweekvijver-Ster?’

‘Als je het mij vraagt is dat gewoon één grote hoop… onzin.’ Ze schopte een leeg frisdrankblikje opzij. ‘Een vakantie zou inhouden dat ik maar liefst zeven dagen mijn lab niet in kan.’ Ze staarde voor zich uit alsof ze zich niets ergers kon voorstellen. ‘En dan sleuren mam en pap me natuurlijk mee naar het strand en zo. Maar goed, ik maak toch al niet bepaald een vliegende start hiermee.’ Ze wees naar de plek waar haar wenkbrauw tot voor kort nog had gezeten, en waar de huid nu felrood was in het licht van de septemberzon, en grijnsde.

Neena had wel gelijk, maar ik wilde me niet verkneukelen.

Toen we bij de onderdoorgang aankwamen bleef ze plotseling staan. 'Wacht, mam! Dit is belangrijk.' Ze liet haar blik van top tot teen over me heen gaan. 'Ik weet al wat het is! Je zit onder de *kreukels*!' Ze staarde goedkeurend naar mijn grijze trui. 'Wat is er gebeurd, Bloem? Was het strijkijzer stuk? Je ziet er bijna net zo slordig uit als ik.'

Op dit moment had ik het eigenlijk gewoon voor gezien moeten houden. 's Ochtends vergeten mijn uniform te strijken was zó niets voor mij dat ik het meteen had moeten herkennen als een teken van mijn naderende ondergang.

Ik had net zo goed een leren jack kunnen aantrekken en kunnen rondscheuren op een motor, zo veel kans had ik nu nog om die wedstrijd te winnen.

Iemand had JE BENT VERLOREN op mijn voorhoofd moeten tatoeëren. Dat zou er misschien niet uitgezien hebben, maar was wel een handige hint geweest elke keer dat ik ging tandenpoetsen – het zou me een hoop hoofdbrekens hebben gescheeld.

Maar aangezien dit het echte leven was, zijn geen van die dingen ooit gebeurd. En ook al was ik totaal onvoorbereid op de kwaadaardige duistere macht die ik had opgegraven, ik dacht dat ik de touwtjes van mijn leven nog steeds in handen had – wat best aandoenlijk was, maar ook totaal verkeerd ingeschat.

Dus draaide ik me om en duwde ik me een weg door de hordes Kweekvijver-leerlingen die om ons heen dromden. 'Ik ga naar huis. Dan strijk ik snel mijn kleren en haast ik me weer terug. Ik haal je wel weer in.'

'Als je nu nog naar huis gaat, ben je te laat op school,' zei Neena.

'Geweldig,' zei ik verbitterd terwijl de stroom leerlingen die langs me heen drong steeds drukker werd. 'Het maakt niet uit wát ik doe. Ik heb sowieso een slechte start.'

'Meisjes,' zei mevrouw Gupta. 'De bel is gegaan. Tijd om naar binnen te gaan.'

Neena gaf me een medelevend kneepje in mijn schouder toen we door het hek naar binnen liepen. 'Maak je nou maar niet druk om je kleren, Bloem. Je hebt nog steeds de glimmendste schoenen die ik ooit heb gezien.'

Ze pakte mijn hand vast en trok me mee naar de trap terwijl de schelle schoolbel in onze oren galmde. Ik rende achter haar aan naar ons lokaal. Ik moest een beetje hijgen.

Buiten scheen de zon neer op het lege schoolplein. Het geluid van de dichtslaande schoolhekken weerkaatste over het asfalt. Mijn maag zat in de knoop toen ik achter Neena naar binnen liep. Ik raakte mijn klassenvertegenwoordigersbutton even aan in de hoop dat dit geluk bracht.

Klaar voor de start...

Hoofdstuk 7

Elk jaar in september, op de allereerste schooldag, vond er een belangrijke traditie plaats in de Kweekvijver. Voordat we het lokaal binnengingen dat het komende schooljaar ons eigen lokaal zou zijn, kregen we altijd eerst een speciale toespraak van ons schoolhoofd te horen.

O, ho, denk je nu waarschijnlijk. Aha. Een speciale toespraak, dus? Een praatje om de liefde voor het leren aan te wakkeren? Een peptalk over kennis en boeken en de geweldige dingen die je kunt bereiken als je goed leert en goed luistert?

Nee dus.

Meneer Grittelsnert sprak nooit over boeken en kennis en dergelijke. Nee. Meneer Grittelsnert had het veel liever over *uitvindingen.*

En niet zomaar uitvindingen. Hij had bijvoorbeeld weinig met speelgoedrobots of potplanten met speakers in hun blaadjes waar muziek uit kwam. Hij hield veel meer van dingen die zorgden voor orde en opgeruimdheid in de wereld, dingen die schoonmaakten en poetsten. Hij aanbad uitvindingen die de rommel van het menselijk bestaan netjes maakten, een stuk minder… rommelig.

En hij vernoemde elk klaslokaal naar een van zijn favorieten.

Gisteren had meneer Grittelsnert dan ook gewezen naar het zilveren plakkaat aan de muur buiten het lokaal van groep zeven en ons ernstig in de ogen gekeken. 'Niets is zo bevredigend als een glimmend plastic laagje over dingen heen,' had hij gezegd. 'De saaiste en onbelangrijkste dingen ter wereld kun je met een lamineerapparaat transformeren. Stop middelmatigheid in deze machine en het komt er meteen wat netter uit gerold.'

Hij had ons vervolgens een ogenblik betekenisvol aangestaard. Ik meende zelfs dat ik hem hoorde mompelen: 'Kon ik dat ook maar met kinderen doen,' maar daar was ik niet zeker van.

En zo werd onze groep 'de Lamineermachines'. Het was nogal een mondvol en niet erg catchy. Maar toen ik Neena het lokaal in volgde, bleek de naam wel erg toepasselijk. Alles zag eruit alsof het door een lamineerapparaat was gehaald: glimmend, plastic, nieuw.

Vandaag deden de leerlingen de naam opnieuw eer aan: iedereen had glanzend gepoetste tanden, frisse gezichten en schone sokken. Er viel geen vuile vingernagel, bungelend neuspulkje of modderige knie te bekennen. Meneer Grittelsnerts wedstrijd was meteen van start gegaan, en zo te zien wilden alle leerlingen van de Lamineermachines winnen.

'Hebben jullie de brief niet gelezen, meisjes?' plaagde het lange, roodharige meisje vlak naast ons terwijl ze haar perfecte Franse vlecht controleerde in het spiegeltje van haar poederdoos. 'De Kweekvijver-Ster moet een *toonbeeld* zijn.' Ze nam ons goed in zich op en grijnsde. 'Geen vaasje dat in scherven op de grond viel en haastig weer in elkaar gelijmd is.'

Ik beet op mijn lip.

Chrissie klapte het spiegeltje dicht en keek nadrukkelijk naar Neena's verbrande wenkbrauw en mijn kreukelige trui.

Neena haalde haar schouders op. 'Dit krijgt vanzelf wel een korstje,' zei ze vlak.

Chrissie keek vervolgens naar mij met een minachtende blik in haar smaragdgroene ogen. 'En welke smoes heb jij, Sneubloem?'

Ik staarde naar mijn schoenen. Chrissie was de menselijke tegenhanger van een lachspiegel op de kermis. Ik voelde me altijd nog kleiner en molliger als zij in de buurt was. Normaal gesproken verliep het contact tussen ons zo: zij zei iets gemeens en dan beet ik op mijn lip en deed alsof ik veel te druk nadacht over iets belangrijks om te reageren, vervolgens gniffelde ze wat, schonk me een medelevende blik en wandelde ervandoor. En dat elke keer.

Ik voelde haar ogen geamuseerd in mijn schedel boren. Ik bleef mijn zwarte veterschoenen bewonderen.

Na een poosje liet ze een lachje horen. 'Je moet het zelf maar weten,' zei Chrissie nonchalant, en ze wipte de kraag van haar smetteloze houtskoolgrijze zijden shirt op en neer. 'Als jij geen enkele moeite wilt doen, zit ik daar niet mee. Des te makkelijker is het voor mij om die prijs te winnen.'

Het magere blonde meisje naast haar knikte vol bewondering mee. 'Ja, een stuk gemakkelijker.'

Ik moet Bella Pareldorf, Chrissies schaduw, één ding nageven: ze leek zeer snel tevreden. Ze was al blij als ze zo af en toe een paar woordjes kon herhalen. Ze zal weinig nodig gehad hebben om zichzelf bezig te houden tijdens de zomervakantie.

Ik forceerde een glimlachje. *Brave meisjes maken geen ruzie.*

Na een ogenblik van stilte liepen ze zijwaarts weg in de richting van hun eigen tafel. Terwijl ze dat deden concentreerde ik me op mijn rugzak, waar ik denkbeeldige viezigheid vanaf veegde.

Toen ik opkeek, zag ik Neena raar naar me kijken. 'Wanneer ga je nou eens voor jezelf opkomen?' vroeg ze. 'Je kan het met gemak van haar winnen als je je best doet.'

'Nee, hoeft niet,' zei ik vlug. 'Ik blijf liever uit haar buurt als ze weer zo'n bui heeft. En bovendien kan ik me als klassenvertegenwoordiger geen ruzie veroorloven. Dat is geen goed voorbeeld voor de anderen.'

Neena rolde met haar ogen toen we naar onze tafel bij het raam toe liepen. Maar zelfs haar goedbedoelde woorden zouden mij niet veranderen. Er kon weinig goeds van komen als ik het opnam tegen Chrissie Valentini. Vorig jaar nog had een aardige invalleerkracht haar gevraagd om haar lesboeken niet steeds kwijt te raken. Chrissies ouders hebben vervolgens gedreigd de school voor de rechter te slepen wegens smaad als die leerkracht niet ontslagen zou worden. We hebben hem dus nooit meer teruggezien.

Meneer Grittelsnert deed alles wat meneer Valentini wilde. Chrissies vader was rijk, hij zat in de raad van bestuur en gaf de school elk jaar veel geld voor schoolreisjes en schoolspullen. Bovendien was hij de eigenaar van een groot bouwbedrijf dat meneer Grittelsnert flinke kortingen gaf als hij weer eens een aanbouw wilde hebben voor de school, wat hij vrij vaak wilde.

Dus nee, het was niet heel verstandig om te bijdehand te doen tegen Chrissie. Wat betekende dat ik moest doen alsof haar opmerkingen hilarisch waren. Zelfs als ze mij daarmee omlaaghaalde.

In het lokaal van de Lamineermachines heerste de stilte. Iedereen zat rechtop op zijn stoel, had zijn handen netjes ineengevouwen op schoot en wachtte tot onze verlegen lerares, juffrouw Zonnedauw, de namen oplas. Dat was ongebruikelijk. Normaal gesproken moest ze smeken of iedereen even wilde luisteren en kwam ze nauwelijks boven de herrie uit die je krijgt als je dertig kinderen van elf bij elkaar in een ruimte zet.

Juffrouw Zonnedauw kromp ineen als het zo lawaaierig was, bloosde als iemand haar langer dan twee tellen aankeek, en als ze óóit iemand een standje moest geven, dan zat ze de rest van de les hijgend achter haar bureau weer op adem te komen.

Je vraagt je misschien af waarom ze eigenlijk bij de Kweekvijver is gaan werken. Volgens de geruchten in de gangen is ze het nichtje van meneer Grittelsnert. Blijkbaar heeft hij haar de baan gegeven omdat ze bij Chillz niet werd aangenomen en er in ons stadje geen ander werk beschikbaar was.

Haar lichte wimpers knipperden snel en ze keek door plukjes van haar warrige bruine haar heen. Ze pakte haar tablet en begon de namen van de lijst voor te lezen.

'Robbie Breeberg?'

'Ja,' zei Robbie van achter de tafel vlak voor ons.

Interessante feitjes over Robbie:

* Hij heeft iets met woestijnratten. Hij heeft voor de zomervakantie zijn vorige woestijnrat, Victoria, een hele week lang in zijn kluisje verstopt voordat ze wist te ontsnappen. Niemand weet waar ze is gebleven. En dit boek gaat niet over een verdwenen woestijnrat, mocht je het je afvragen. Ze komt niet straks aan het eind ineens aanhollen. Het gaat vast goed met haar.
* Hij is doof aan zijn rechteroor. Als hij interesse heeft in wat je zegt, dan draait hij zijn linkeroor heel voorzichtig jouw kant op.
* Ik vind hem aardig omdat: hij grappig is.

'Elka Kowalski?'

Er verscheen een brede glimlach op Elka's ronde gezicht aan de tafel aan de andere kant van het gangpaadje.

'Ja, juffrouw Zonnedauw.'

Interessante feitjes over Elka:

* Elka komt uit Polen. Ze is twee jaar geleden naar Betondeugd verhuisd. Ze woont met haar familie twee straten bij ons vandaan.
* Ze houdt heel erg van rockmuziek, vooral van de vrouwelijke Poolse band Sisters of Crush.
* Elka's moeder werkt ook bij Chillz, maar dan aan de

lopende band, en niet daar waar de machines en de software zijn. Onze moeders zien elkaar niet veel. Wel glimlachen we zo af en toe onze 'Chillz Kidz'-glimlach naar elkaar.

* Ik vind haar aardig omdat: dat is gewoon zo.

'Bram Tuitert?' las juffrouw Zonnedauw voor.

'Hier,' fluisterde Bram, die zichtbaar zijn best deed om gehoord te worden.

Interessante feitjes over Bram:

* Hij is een enorme boekenwurm.
* Hij heeft nogal wat eczeem op zijn gezicht, nek en handen. Dat lijkt meer te gaan jeuken zodra meneer Grittelsnert in de buurt is, en is minder pijnlijk wanneer hij leest.
* In groep vijf won Bram de eerste en enige schrijfwedstrijd van onze school. Zijn opstel ging over een afschuwelijk schoolhoofd dat door een slang werd opgeslokt. Het volgende jaar verbood meneer Grittelsnert schrijfwedstrijden. Maar Bram houdt er nog steeds van om slangen in zijn schrift te tekenen. Vooral wanneer meneer Grittelsnert ons lokaal binnenwandelt.
* Ik vind hem aardig omdat: je kunt Bram niet NIET aardig vinden, hij is vriendelijk en… aardig.

Hoofdstuk 8

Na het doornemen van de presentielijst moesten alle klassen naar de aula voor een bijeenkomst.

Het gonsde in de zaal. Opgewonden gefluister fladderde om ons heen, sneller en steviger dan een jetpack vol pudding. Kinderen wurmden op hun stoel en reikhalsden om hun tegenstanders in zich op te nemen: de andere kinderen. In de lucht hingen lichte geuren van schoensmeer, stijfsel en shampoo.

Er bewoog iets in de deuropening. De leerlingen rechtten hun rug en trokken hun gezicht in de 'braaf en beleefd'-plooi.

Ik deed het ook en gaf Neena vervolgens een por, maar die keek me alleen maar kwaad aan. 'Dit is belach–'

'Sst,' siste ik haar toe.

Meneer Grittelsnert kwam het podium op gelopen, een lange, kale man in een grijs driedelig pak. Alles aan hem was netjes en precies, van zijn kortgeknipte vingernagels tot zijn manier van lopen. Elke stap die hij zette was exact even groot als de vorige. Zelfs zijn gele tanden stonden in een perfecte rij. Het enige wat nog een beetje slordig aan hem was, was het dikke plukje lange, zwarte haren dat uit zijn neusgaten vandaan stak.

Hij marcheerde naar de lessenaar en schraapte zijn keel. 'Leerlingen.'

Verderop in onze rij begon Bram aan zijn handen te krabben.

'Goedemorgen, meneer Grittelsnert,' zeiden we in koor.

'Ik heb gekozen voor deze speciale bijeenkomst vandaag omdat dit een zeer belangrijke dag is.'

Ik knikte plechtig.

'Zoals jullie allemaal weten is vandaag de eerste dag in de zoektocht naar de Kweekvijver-Ster en ik wil de regels graag nog even toelichten.'

'Pff,' mopperde Neena, die aan haar kale wenkbrauw pulkte en onderuitzakte op haar stoel.

'Regels zijn extreem belangrijk, zoals we allemaal weten. Ze zorgen ervoor dat we ons gedragen, geven ons een doel en maken deze school tot wat hij is.'

Naast me knikte Robbie ook mee, alsof dit een onderwerp

was waar hij achter stond, ondanks dat hele gedoe met Victoria de woestijnrat, waarvan ik absoluut zeker wist dat het een overtreding was van regels 11, 17 en 101 van het *Kweekvijver-handboek vol regels.*

'Er zullen gehoorzaamheidspunten worden uitgedeeld aan elk kind dat zich gedraagt op een wijze die past bij ons schoolmotto: *Geef gehoor aan gehoorzaamheid. Laat je vormen door gelijkvormigheid. Voorschriften en regels voor altijd.* Deze punten zijn Pluspunten, en het kind met de meeste Pluspunten is de winnaar. Iedere leerkracht kan Pluspunten toekennen.' Hij maakte een weids gebaar naar de rij leraren die achter hem op het podium zaten en die ons met ernstige gezichten in de gaten hielden.

Juffrouw Zonnedauw staarde naar haar schoot.

'Maar wees gewaarschuwd,' ging het schoolhoofd verder. 'Als je gedrag te wensen overlaat, als je er slordig uitziet, te laat bent, een grote mond geeft, geen inzet toont voor het volgen van de schoolregels of als je gekleed bent in iets anders dan het voorgeschreven uniform, dan verdien je een strafpunt. Die noemen we Minpunten. Het kind met de meeste Minpunten zal van school worden gestuurd.'

Er steeg een geschrokken geluid op in de hele zaal.

Brams vingers schoten naar zijn wangen.

'Ik hoef vast niet uit te leggen,' ging meneer Grittelsnert verder terwijl hij zijn blik door de hele zaal liet dwalen, 'hoe onwenselijk dat zou zijn. De Kweekvijver is de enige school hier in Betondeugd, dus als je van school gestuurd wordt, zul je naar de ondermaats presterende school in West-Bouwval moeten. *Als ze je willen hebben.*' Zijn donkere ogen glinsterden en zijn neusharen trilden dramatisch.

Meneer Grittelsnert was een van die volwassenen die tegen een zaal vol kinderen kon praten en elk van hen het gevoel gaf het uitsluitend tegen hem of haar te hebben. Ik schoof ongemakkelijk heen en weer op mijn stoel en aan de gepijnigde gezichten overal om me heen kon ik zien dat ik niet de enige was die zich zo voelde.

'Maar kom, kom,' vervolgde hij. 'Laten we het niet al te somber inzien. Volg de regels en je hebt niets te vrezen.'

Een paar rijen voor ons schoot er een hand de lucht in.

Meneer Grittelsnert keek naar een kleine jongen uit groep twee, de Kruimeldieven. 'Wat?' zei hij bits.

De jongen stond op en maakte een buiging. 'Mijn moeder is bang om te vliegen, meneer, dus kunnen we misschien ook nog een andere prijs proberen te winnen behalve die vakantie in Portugal?'

Meneer Grittelsnert hield het hoofd schuin. Een van zijn neusharen leek als een soort voelspriet naar buiten te steken, alsof die een mogelijke opstand bespeurde. 'Er is geen tweede prijs. Als je wint, dan wikkel je maar wat verband rond je moeders hoofd en zet je er een papieren zak overheen, of beter nog: ze mag voor straf thuisblijven omdat ze niet meewerkte. Vliegangst is niets meer dan een teken van een ongehoorzame geest. Ze zal maatregelen moeten nemen.'

'Eh...' zei de jongen.

'Maar jullie zullen allemaal winnaars zijn,' ging meneer Grittelsnert verder, en hij sloeg met gebalde vuisten op de lessenaar. 'En de prijs is dat jullie er beter van worden. Ik twijfel er geen moment aan dat jullie na acht weken allemaal – nou ja, met uitzondering van het kind dat van school gestuurd wordt, uiteraard, want dat zal zijn ellendige bestaan elders moeten voortzetten – een stuk netter, opgeruimder en gehoorzamer zijn en beter kunnen samenwerken dan voor deze wedstrijd. Een nieuwere, verbeterde versie van jezelf.'

De jongen glimlachte onzeker. 'Dank u, meneer.' Hij ging heel snel weer zitten.

'Zijn er nog meer vragen?' vroeg meneer Grittelsnert. 'Mooi zo. Welnu, om niet nog meer kostbare tijd te verspillen heb ik nog één mededeling.'

Ik wiebelde opgewonden op mijn stoel. Het begin van dit schooljaar werd beter en beter. Had ik maar iets meegenomen om aantekeningen te maken.

'Een school die zich niet ontwikkelt is een school die niet zal slagen.' Meneer Grittelsnert trok een grimas die zijn gele tanden liet zien en waarvan wij inmiddels wisten dat het zijn glimlach was.

Een jongetje uit de instroomgroep dat de onvoorspelbare bewegingen van meneer Grittelsnerts gezicht nog niet gewend was, barstte in tranen uit.

'En daarom is het me een groot genoegen aan te kondigen dat er vanaf morgen een begin gemaakt wordt met de bouw van een geheel nieuw lokaal. Een ruimte waarin je het maximale uit jezelf kunt halen en je goed kunt voorbereiden op de echte wereld.'

Ik vroeg me af waar hij het over had. Een sportzaal? Een theater? Een echt scheikundelokaal om Neena tevreden te stellen? De grotere bibliotheek waar Bram het altijd over had?

'Jullie krijgen er een gloednieuwe examenzaal bij!' zei meneer Grittelsnert.

Een onzekere stilte vulde de aula.

Verderop in onze rij begonnen Bella en Chrissie ineens te klappen.

Een flits van mosterdgele tanden in hun richting. Meneer Grittelsnert wuifde wat in de richting van het raam naar het stuk gras ter grootte van een voetbalveld waarop we buiten speelden en gym hadden. 'Het zal worden gebouwd op dat nutteloze speelveldje daarzo.'

'Maar dat is het laatste stuk grasveld dat we nog overhebben,' sputterde Neena verontwaardigd tegen. 'Als hij dat weghaalt is er straks alleen nog maar beton overal!'

'Ik heb besloten dat jullie beter af zijn zonder dat veld,' verklaarde meneer Grittelsnert alsof Neena niets had gezegd. 'Te veel gras veroorzaakt grasvlekken! Te veel insecten buiten leidt tot insecten bínnen, wat leidt tot ziekte en thuisblijven en een hoger ziekteverzuim! Een mooie, schone examenruimte is veel beter voor jullie toekomst en gezondheid – en voor de staat van jullie uniform, om eerlijk te zijn. Valentini Bouw...' En op dat moment richtte hij dat vergeelde gebit in een brede glimlach op Chrissie, die dat beantwoordde met een grijns. '...zal deze week nog beginnen met graven. Ik wil dat jullie daar niet meer buiten spelen, zodat de bouwvakkers de zaal zo snel mogelijk af kunnen maken. En daarvoor kunnen jullie me bedanken door met vlag en wimpel te slagen voor je toetsen en examens, zodat we helemaal boven aan de competitieranglijst komen te staan!'

Bella Pareldorf stond op en applaudisseerde als een gek – ze leek wel een zeehond die net had ontdekt dat de trainer sardientjes voor haar omhooghield. 'Hoera voor Chrissie!'

Chrissie stond op en begon ook te klappen. 'Hoera voor meneer Grittelsnert!'

Hij glimlachte naar haar. 'Je krijgt een Pluspunt, Chrissie.'

Ze grijnsde en schonk mij een triomfantelijke blik.

De moed zonk me in de schoenen. *Staat ze nu al voor?*

Toen stonden alle andere leerlingen in de aula ook langzaam op om mee te klappen.

'Ze zijn letterlijk aan het applaudisseren voor een examenzaal die nog niet eens gebouwd is,' bromde Neena. 'Ze klappen voor een schending van ons recht om buiten te spelen.'

'Ik weet het,' mompelde ik, alsof ik wist wat ze met 'schending' bedoelde, 'maar laten we maar het zekere voor het onzekere nemen...' Ik sprong overeind en klapte mee. 'Straks krijg je nog een Minpunt omdat je niet meedoet. Waarschijnlijk moeten we gewoon doen wat iedereen doet...'

Maar Neena bleef koppig zitten waar ze zat. 'En waar moeten we dan spélen, meneer Grittelsnert? Naast de afvalcontainers en afvoerbuizen soms?' riep ze, maar het geluid van het applaus overstemde haar.

Nadat we een minuut of tien hadden staan klappen – omdat geen van ons de eerste wilde zijn die ermee ophield – gaf meneer Grittelsnert ons een knikje alsof hij tevreden was, en hij maakte een zwaaiend handgebaar. Dat was ons teken om netjes rechter te gaan staan en de Kweekvijver-eed op te zeggen.

Gezamenlijk dreunden we op:

'Wij zijn leerlingen van de Kweekvijver
We zijn doelgericht, vol vlijt en vol ijver.
Ruim op tijd staan we bij het lokaal,
We lunchen in stilte en doen altijd normaal.
We lopen heel rustig, we doen niet aan geintjes.

We kleuren hier altijd binnen de lijntjes.
We volgen de regels en nemen ze nauw
En ons schooluniform is simpel en grauw.
We houden van toetsen en werken en leren.
anders worden we gek binnen de kortste keren.
We zijn niet brutaal, praten niet voor onze beurt.
Tegenspraak wordt hier niet gewaardeerd!
We spelen niet onder lestijd, we letten goed op.
Regels zijn regels, en regels zijn top.
Lente of zomer, hoelang ze ook duren,
Les krijgen wij binnen de schoolmuren.
We blijven binnen tot de bel is gegaan
En het eind van dit lied komt er al bijna aan.
Voor wie het nog niet weet – ik zou even meeschrijven:
Houd je aan de schoolregels, anders moet je nablijven!'

'Indrukwekkende tekst, nietwaar?' zei meneer Grittelsnert. 'Ga nu maar gauw naar je lokaal, kinderen, dan kan de schooldag beginnen. Niemand wil natuurlijk meer dan noodzakelijk achter raken op het schema.'

Hoofdstuk 9

Zodra ons schoolhoofd het podium had verlaten, op de hielen gevolgd door een rij zwijgende leerkrachten, draaide ik me enthousiast om naar Neena. Ik zat vol energie na de motiverende toespraak van meneer Grittelsnert.

'Hé, waar wacht je nog op?' vroeg ik toen ik zag dat Neena nog steeds op haar stoel zat en haar gezicht nu op standje donderwolk stond.

'Heb je niet gehoord wat meneer Grittelsnert zojuist zei?' gromde ze.

'Natuurlijk wel. Elke lettergreep.'

'Dus je hebt wel gehoord dat we ons speelveld kwijtraken? Als dat weg is, hebben we alleen nog maar een klein betonnen vierkantje zo groot als een pierenbadje om op te spelen.

Vind je dat eerlijk? Hoe passen we daar bijvoorbeeld met de hele school tegelijk op?'

'O. Ja...' zei ik aarzelend.

Dit was typisch Neena, om overdreven ingewikkelde vragen te gaan stellen. Het was maar een stukje grond. Misschien was een examenzaal zo'n slecht idee nog niet. Bovendien hield ik van toetsen maken. Ik vond het leuk om hele huiswerkschema's en roosters op te stellen, nieuwe markeerstiften te kopen en te bewijzen hoeveel ik had geleerd, om het vervolgens spontaan te vergeten zodra de toets achter de rug was. En was daar iets mis mee? Meneer Grittelsnert had bovendien een goed argument: van gras kreeg je grasvlekken, en het was echt een ramp om die weer uit je uniform te krijgen; dat wist ik maar al te goed. Neena keek echter nog steeds chagrijnig voor zich uit.

'Neena, zo veel gebruik je dat speelveld niet eens. Je zit tijdens de lunch altijd met je neus in je wetenschappelijke tijdschriften.'

'Dat doet er niet toe,' zei ze. 'Het kan hem gewoon niet schelen wat wij echt nódig hebben. Hij is alleen maar bezig met die stomme cijfers die we halen.'

Terwijl zij doorratelde, wierp ik een nerveuze blik op de klok. Het was 9.37 uur.

'Kom mee,' zei ik terwijl ik haar overeind trok. 'Je kunt toch niets doen, dus kun je je er maar beter niet druk over maken. Bovendien heb ik een vakantie die ik wil winnen.'

Onze andere klasgenoten vonden het ook heel vervelend dat we het veld zouden kwijtraken, maar het werd algauw rustig in de klas toen juffrouw Zonnedauw een Pluspuntenkaart aan de muur hing.

'Hierop kan iedereen zijn voortgang in de gaten houden,' mompelde ze, en ze ging op haar tenen staan om hem naast het schoolbord te hangen. 'Oom... ik bedoel... meneer Grittelsnert wil dat deze kaart hier de komende weken blijft hangen.'

'Vergeet mijn Pluspunt er niet bij te zetten,' zei Chrissie terwijl ze haar haar aanraakte. 'Er zullen er waarschijnlijk nog vele volgen.'

En daarna vloog de ochtend – waarin iedereen in de Lamineermachines (op één na) heel hard zijn best deed om zo perfect, gehoorzaam en netjes mogelijk te doen – voorbij.

Vlak voor de lunchpauze, nadat de hele ochtend al was verstreken zonder dat ik een Pluspunt achter mijn naam had gekregen, zat ik in een behoorlijke dip. Dus toen meneer Grittelsnert langskwam en vroeg naar vrijwilligers om de bibliotheek op te ruimen, schoot mijn hand als eerste de lucht in. Ik werd helemaal gelukkig toen hij mij koos. Dit was mijn kans.

'Wil je misschien nog een klasgenoot mee hebben om je te helpen?' vroeg juffrouw Zonnedauw.

Ik negeerde Brams schilferige hand die door de lucht heen en weer zwaaide. 'Mag ik Neena meenemen?' vroeg ik.

Maar Neena keek me alleen maar kwaad aan vanaf haar stoel en zuchtte en pufte als een oude stoomtrein.

'Kom op, dit zou weleens een perfecte gelegenheid kunnen zijn om een Pluspunt te verdienen!' zei ik opgewekt.

Ze rolde met haar ogen, maar stond wel op.

'Wedstrijdje wie er het eerst is,' mompelde ik tegen haar terwijl we achter meneer Grittelsnert aan liepen.

Neena wist dat ik nooit ergens naartoe zou rennen binnen de grenzen van het schoolterrein, dus dit was een goede grap. En wist ze die te waarderen?

Nou, mooi niet dus.

Meneer Grittelsnert liep voor ons uit naar de schoolbibliotheek, een stel krakkemikkige, oude boekenkasten in de gang bij de keuken.

'Ik wil dat al deze boeken in deze grijze stofomslagen worden gestoken,' zei hij, gebarend naar een doos vlakbij. 'Ze vallen nu veel te veel buiten de voorgeschreven grijstinten. En poets die vieze vingerafdrukken er ook maar even af als je toch bezig bent.'

'Zullen we allebei de uiterste kasten nemen en dan naar elkaar toe werken?' stelde ik Neena voor zodra meneer Grittelsnert was verdwenen. Een beetje rust en stilte zouden haar misschien wel van die rare bui afhelpen, en na alle opwinding van de bijeenkomst kon ik zelf ook wel een beetje rust gebruiken.

'Mij best,' zei ze en ze liep stampvoetend naar de kast aan de andere kant.

Een paar ogenblikken later had ik het juiste ritme te pakken: ik trok een boek uit de kast, veegde het schoon en stopte het in een omslag. Het was vreemd genoeg heel kalmerend om te doen. Ik had de onderste plank van de eerste kast – Lokale Geschiedenis – bereikt toen ik een boek zag dat achterin klem stond. Voorzichtig trok ik het los uit zijn hoekje. Het was smerig en stoffig, maar voelde wel stevig. Met een vochtige doek veegde ik het omslag schoon en er werd een afbeelding zichtbaar.

Het was een schilderij van een klein, wit huisje in een veld vol kleurige bloemen. De titel van het boek was: *De vreselijke, droevige geschiedenis van Kersenbloesemvreugd.*

Terwijl ik naar de voorkant staarde bekroop me het hardnekkige gevoel dat ik dat schilderij van dat witte huisje eerder had gezien, maar ik wist niet waar. Had mama het soms thuis, stond het ergens tussen al die kookboeken van haar? En wat was Kersenbloesemvreugd in vredesnaam? Het klonk niet als een van de naburige dorpen. En waarom was de geschiedenis ervan dan zo vreselijk en droevig? Misschien was het zo'n vergeten dorp. Misschien was het wel ooit in een zinkgat gestort en voorgoed verdwenen.

Na een ogenblik aarzelen stak ik het boek in een grijs omslag, en ik voelde een vreemde steek, alsof ik iets verloor, toen het witte huisje niet langer te zien was. Ik schreef de titel op de voorkant en zette het boek terug op zijn plank.

Daarna begon ik met de hobbyboeken. Het eerste boek dat ik pakte had een foto van een jongen op de voorkant, vlak onder de titel *Tuinieren voor kinderen*. De jongen leek iets in een potje te laten vallen. Ik keek nog eens goed. Er vloog een donker stipje uit zijn hand.

Iets zwarts.

Iets kleins.

En…

Slik.

Ik staarde naar de foto en huiverde. Ik was gisteravond niet alleen vergeten mijn uniform te strijken. Ik had er ook niet meer aan gedacht de Zonderlinge Zaadjes veilig en wel in de afvalbak te stoppen.

Wat betekende…

…dat ze nog steeds in mijn rugzak zaten, in het klaslokaal, en ik geen idee had van wat ze mogelijk uitspookten terwijl ik even niet keek.

Wat als ze begonnen te gloeien?

Wat als ze ervoor zorgden dat de tafels omvielen en de vloer openbarstte?

'Wat is er?' Neena stak haar hoofd om een kast heen en staarde me aan. 'Je hebt die paniekerige blik in je ogen die je altijd krijgt als je ergens van in de stress schiet.'

Ik werd overspoeld door een vlaag van angst. Een seconde lang was ik niet meer in de bibliotheek, maar stond ik op een gebroken terrastegel en keek ik toe terwijl de wereld onder mijn voeten kapotscheurde, en weer hoorde ik die vreemde stem.

Ik heb op je gewacht.

Slikkend drukte ik een hand tegen de boekenkast om mezelf in evenwicht te houden.

'Bloem,' zei Neena op een toon van haal-nu-geen-geintjes-met-me-uit-want-anders, 'wat is er aan de hand?'

Ze liet me plaatsnemen op een zitzak en keek me ernstig aan.

Ik leunde naar achteren en zuchtte. 'Er is gisteren iets vreemds gebeurd.'

Meteen klaarde haar gezicht op. 'Ga door.'

Ik vertelde haar alles, en ik verwachtte half dat mijn lippen weer op elkaar zouden blijven zitten. Maar deze keer deden ze wel mee, en ik wist niet goed of ik daar opgelucht of teleurgesteld over moest zijn. Nu ik over de Zonderlinge Zaadjes kon praten, leken ze op een of andere manier een stuk echter, en dat voelde niet helemaal goed.

Neena leek daarentegen helemaal uitzinnig van opwinding.

'Sidderend silicaat!' riep ze uit. 'Waar is het envelopje nu?'

'Het ligt in de klas.' Gefrustreerd schudde ik mijn hoofd.

'In mijn rugzak. Ik wilde het weggooien, maar ik heb er niet meer aan gedacht.'

Haar wenkbrauwen schoten zo ver omhoog op haar voorhoofd dat ze achter haar pony verdwenen. 'Heb jij *verboden middelen* meegenomen de school in? Heb jij zowaar een schoolregel overtreden?' Een verrukte glimlach danste over haar gezicht.

Ik probeerde te glimlachen, maar het werd een verdraaide grimas. 'Luister, kunnen we dit gewoon vergeten? Laten we maar doorgaan met al deze boeken.'

'Oké,' zei Neena vastberaden. 'Zodra je me die Zonderlinge Zaadjes hebt laten zien.'

'N-Nee,' stamelde ik. 'Dat kan niet. Ik wil niet.'

'Waarom kijk je er dan zo enthousiast bij?'

'Doe ik dat?' vroeg ik nogal verbaasd.

'Eh, ja?' Ze staarde zo aandachtig naar mijn gezicht dat ik het gevoel had een van die kweekjes uit haar petrischaaltjes te zijn. 'Je ziet er nu even opgewonden uit als op de dag dat de nominaties voor de klassenvertegenwoordiger bekendgemaakt worden.'

Enkele minuten later zaten we tussen twee van de volste boekenkasten die we konden vinden in en we keken om beurten tussen de planken door om er zeker van te zijn dat er niemand in de buurt was.

In het licht van de namiddagzon dat door het raam naar binnen scheen zag het envelopje er nog een stuk ouder uit dan gisteren. Ik hield het behoedzaam vast en merkte hoe dun en zacht het papier aanvoelde. Hoelang had het eigenlijk in de aarde verborgen gelegen?

'De Zonderlinge Zaadjes,' las Neena hardop voor met een griezelige stem. 'Deze zaadjes zaaien zich als vanzelf.' Ze keek me vragend aan. 'Wat betekent dat nou weer?'

Het envelopje baadde in het licht en de warmte van de

warme zonnestralen die door het raam naar binnen schenen. Binnen een paar tellen was het even heet als de hoogste stand van mijn strijkijzer.

'Au!' Ik kromp ineen van pijn en liet het op de grond vallen.

Een witgouden gloed straalde langs de rand van het envelopje, alsof er een klein, dansend vlammetje in zat. Ineens verscheen deze zin: *JE HEBT DE ZADEN GEVONDEN, GA ZE NU MAAR ZAAIEN. EN WAT JIJ ECHT NODIG HEBT ZAL JE AAN KOMEN WAAIEN.*

Veel mensen hebben me sindsdien gevraagd waarom ik het envelopje niet op dát moment heb weggegooid, maar dan antwoord ik altijd met: 'Ben je gek?'

Ik bedoel, wat zou jij hebben gedaan? Wees eerlijk. Als er op een dag iets mysterieus en bovenmenselijks zomaar voor je neus opdook en beloofde om AL JE DROMEN TE LATEN UITKOMEN?

Ik zal je zeggen wat je in *geen geval* gedaan zou hebben. Je zou niet gezegd hebben: 'Wacht eventjes, ogenblikje, dan ga ik eerst even wat meer achtergrondinformatie inwinnen.' Je zou ook niet gezegd hebben: 'Heb je een geldige vergunning om je bezig te houden met de duistere kunsten van het laten uitkomen van wensen?'

Je zou je in de handen hebben gewreven en gevraagd hebben: 'Wanneer?'

Dat weet je best, en ik weet het ook. Dus kom nou niet aanzetten met een preek over dingen weggooien, goed?

Mijn hoofd tolde. Zouden deze oude zaadjes het antwoord op al mijn gebeden kunnen zijn? Als ze me zouden geven wat ik echt nodig had, misschien moest ik ze dan toch met wat meer respect behandelen. Ik zag mezelf al de zaal in lopen terwijl meneer Grittelsnert me stralend aankeek op een manier waarop hij dat in het echt nooit zou doen, met een dik, vet diploma voor de Kweekvijver-Ster in zijn ene hand en vliegtickets naar Portugal in zijn andere.

PLOF!

Mijn gedachten werden verstoord door het geluid van iets groots en zwaars wat met een luide klap op de grond viel.

'Het is maar een boek. Er viel er een van die plank daar,' zei Neena en ze pakte het op.

Mijn hart bonsde. Dat was niet 'maar een boek'. Het was *De vreselijke, droevige geschiedenis van Kersenbloesemvreugd*. En het voorgeschreven grijze stofomslag dat ik er zojuist nog heel zorgvuldig omheen had geslagen, was er spontaan vanaf.

Alsof het boek niet bedekt wilde worden.

'Bloem?' zei Neena.

'Ja?' wist ik met een hoop moeite hijgend uit te brengen.

'Je vingers doen nu heel rare dingen.'

Ze had gelijk. Mijn vingers bewogen en dansten in de

lucht voor ons alsof ze een deuntje speelden op een onzichtbare piano. Het was bijna alsof ze me iets probeerden te vertellen, en ik wist wat het was.

Mijn vingers willen zaaien.

Ze wilden strooien en sprenkelen, wriemelen en wiebelen. Ze wilden zwaaien en zaaien en draaien en druppelen en dansen en dompelen. Ze wilden openen en vrijlaten en verspreiden. En ze wilden echt heel, heel graag die zaadjes zaaien.

Er kwam een complete gedachte in mijn hoofd naar boven geborreld alsof iemand die daar had geplant. De Zonderlinge Zaadjes wilden niet langer opgesloten zitten in het envelopje. Ze wilden de wijde wereld in.

En ik was degene die ze moest bevrijden.

De schelle schoolbel sneed door de lucht en mijn vingers hielden op met wiebelen.

Aarzelend pakte ik het envelopje Zonderlinge Zaadjes op, maar het was weer gewoon koud. Ik stopte het terug in mijn rugzak en ademde diep uit, al bleef mijn hoofd bonzen.

'Waar zei je dat die zaadjes vandaan kwamen?' vroeg Neena met glanzende ogen.

Ik forceerde een zwak glimlachje. 'Uit ons terras.' Mijn gedachten buitelden wanhopig over elkaar heen, als een stel bedrijvige werkmieren die te laat waren voor hun dienst.

Trillend stond ik op en ik trok Neena overeind. Er vormde

zich een plan in mijn hoofd. 'Ik ga na school toch met jou mee naar huis?'

Ze knikte. 'Wat wil je gaan doen?'

'Ik heb een ideetje. Maar het is nogal… raar.'

Neena grijnsde. 'Ik vind het nu al geweldig.'

Hoofdstuk 11

Tijdens de wandeling naar Neena's huis begonnen we aan de uitvoering van ons plan.

Neena vroeg: 'Mam, hoe werkt het als je een zaadje wilt planten?'

Mevrouw Gupta keek met een verbijsterde blik op van haar mobieltje. 'Een zaadje planten?' herhaalde ze langzaam, alsof we haar hadden gevraagd of ze een plakje van de maan wilde afsnijden voor bij de thee.

'Ja. Ik vroeg het me gewoon af. Toevallig. Voor een vriendin. Theoretisch gesproken.'

Mevrouw Gupta fronste haar voorhoofd en dacht diep na. 'Ik, eh... ik weet het eigenlijk niet zo goed. Ik heb zoiets nooit gedaan.'

‘Is er misschien iets in de stad wat ons kan helpen? Iets als een soort zadenwinkeltje of zo?’ vroeg ik op luchtige toon.

Mevrouw Gupta keek omhoog naar de lucht en fronste opnieuw. ‘Je zou een tuincentrum kunnen proberen. Die kunnen jullie misschien helpen.’

‘Hebben we er daarvan een in Betondeugd?’ vroeg Neena.

‘Ik geloof dat er wel eentje zat toen ik nog klein was. Maar misschien is dat nu wel gesloten. Ik kan me niet eens herinneren waar het ook alweer zat. De eigenaar was nogal een vreemde figuur, van wat ik gehoord heb. Maar goed, je zult het zelf moeten uitpluizen, want ik heb nog een hele hoop te doen als we thuis zijn. Ik moet een verslag maken, potentiële klanten benaderen, een enorm spreadsheet in elkaar zetten...’

Mevrouw Gupta werkte op de verkoopafdeling van Valentini Bouw, iets waar Neena het niet graag over had.

Ik gaf het nog niet op, want ik wist dat we meer opties nodig hadden als dit mysterieuze tuincentrum nergens te vinden bleek. ‘En de supermarkt? Verkopen ze daar ook tuinspullen?’

‘Ze hebben de producten voor in de tuin lang geleden al uit de schappen gehaald. Zeg, meiden, waar komt dit ineens vandaan?’

‘O, zomaar,’ zeiden we in koor.

'Weet je zeker dat dit de juiste straat is?' vroeg ik een uur later.

'Volgens mij wel,' zei Neena, waarna ze haar voorhoofd weer afveegde en nog eens goed naar haar mobieltje staarde. 'Deze app vindt dat we er nu recht voor staan.'

Ons plan om het tuincentrum op te sporen was tot nu toe heel goed verlopen. Eenmaal thuis had Neena haar moeder gevraagd of we naar de winkel mochten om snoepjes te kopen. Mevrouw Gupta staarde al naar diverse cijfertjes op haar laptop en had wat afwezig geknikt; wij waren er al vandoor gegaan voordat ze ons kon vragen wanneer we terug zouden zijn.

'Als ze eenmaal bezig is, verliest ze de tijd toch uit het oog,' had Neena zelfverzekerd gezegd. Maar we waren nu al bijna een uur bezig met zoeken en nog hadden we geen spoor van het tuincentrum gevonden.

Mijn geduld raakte op. Neena had wel gezégd dat ze de juiste kaart had gedownload, maar nu waren we terechtgekomen in een deel van Betondeugd waar ik nooit eerder was geweest: een achterstraatje met een wedkantoortje en een grote parkeertoren, en dat was het wel zo'n beetje.

Na nog tien vruchteloze minuten heen en weer slenteren door hetzelfde straatje en onzeker door smerige etalageruiten naar binnen gluren wilde ik net voorstellen om terug te gaan naar Neena's huis en een nieuw plan te bedenken.

Toen zag ik het.

Aan de overkant van de straat. In de schaduwen tussen de hoge parkeertoren en een dichtgetimmerde boekwinkel was een donker steegje. Het was zo overwoekerd door onkruid en vol met hangende klimplanten dat we het de eerste duizend keer dat we erlangs liepen over het hoofd gezien moesten hebben.

'Denk je dat dat het is?' vroeg ik.

'Daar komen we maar op één manier achter.'

We staken de straat over. Bij de ingang van de steeg hing een verkleurd houten bordje dat in een plank was getimmerd. De meeste woorden waren bedekt met een donkergroene schimmellaag. Ik las op wat nog te ontcijferen was.

'WONDERLINGH,' zei ik hardop. 'SLANG. FAMILIE. NU.' Ik slikte. 'Misschien is dit toch niet zo'n goed idee.'

Neena veegde de gerafelde mouw van haar Kweekvijver-jasje voorzichtig over het bordje. Langzaam werden de overige woorden door de schimmellaag heen zichtbaar. Er stond nu:

TUINCENTRUM WONDERLINGH

AL GENERATIES LANG EEN FAMILIEBEDRIJF

NU GEOPEND

Ze gaf me een triomfantelijk schouderklopje. 'Dit is het.'

Ik gluurde de duistere tunnel in, die zo dichtgegroeid was

met steeltjes en bladeren en hangende dingen dat het lastig was om te zien waar hij op uitkwam. Er droop een straaltje koud zweet langs mijn nek omlaag. Maar mijn vingers begonnen ineens te bewegen en pijnlijk warm te branden, en dat hielp me eraan herinneren wat we hier ook alweer kwamen doen.

'Kom dan maar mee,' zei ik, hopend dat het dapperder klonk dan ik me voelde. We doken de donkere tunnel van de steeg in.

Ik voelde mijn bezwete huid meteen afkoelen. Ik duwde iets zachts en plakkerigs weg bij mijn gezicht en probeerde niet te huiveren.

Enkele ogenblikken later stonden we voor een vervallen gebouw van rode bakstenen dat helemaal werd verstikt door een of andere kronkelige klimplant. Het was zo overwoekerd dat zelfs het licht hier groen was. Het leek net alsof we op een andere planeet terecht waren gekomen.

'Hallo? Is daar iemand?' riep Neena.

Niemand gaf antwoord, maar ik had het gevoel dat we niet alleen waren. Het gebouw leek zich te vullen met stilte, alsof het afwachtte tot we nog meer zouden zeggen. Zelfs de hartvormige blaadjes die rond de stenen kropen hielden even op met ritselen.

'Hallo?' probeerde ik. Mijn stem echode over het binnenpleintje en kwam weer bij ons terug. 'O... o... o...'

Nog steeds kwam er niemand tevoorschijn.

Iets kleins, zwart en griezelig, vloog kwaad zoemend op mijn gezicht af.

'Ik denk dat we de kaart nog een keer moeten bekijken,' zei ik. 'Deze plek is verlaten.'

Maar Neena gaf me een duw.

Een ineengedoken man met wit haar in een verschoten groene tuinbroek stond in de deuropening. In zijn gerimpelde handen hield hij een grote schaar waar een donkerrood laagje op zat. Naast hem blafte een grote, zwarte hond nogal luid. Het geluid weerkaatste als een pistoolschot tegen de afbrokkelende stenen, en de verhitte stilte versplinterde.

'Wat moeten jullie hier?' De stem van de man klonk zo krakend en piepend als een roestig hek dat voor het eerst in jaren weer eens werd geopend.

De hond gromde.

'Is dit het...' De rest van mijn vraag bleef van schrik steken toen hij een stap naar ons toe deed.

De hond ontblootte zijn tanden.

'Wie heeft jullie gestuurd?' vroeg de man, en er verscheen een norse frons tussen zijn borstelige witte wenkbrauwen.

Neena en ik keken elkaar vragend aan.

'N-Niemand heeft ons gestuurd,' zei Neena.

Hij hield zijn hand boven zijn ogen alsof het licht hem verblindde en tuurde naar ons. 'O, is dat zo?' Zijn bril met goudkleurig montuur was zo vies en vol aardevlekken dat het een wonder mocht heten dat hij nog iets kon zien. 'Niemand, m'n neus. Bruut heeft jullie gestuurd om mij te pesten, of niet soms?'

'W-Wie?' wist ik krassend uit te brengen.

De man bleef roepen alsof hij me niet had gehoord, met een accent dat ik niet herkende uit Betondeugd.

'Nou, glibber maar weer fijn naar hem terug met dezelfde boodschap die ik al zijn slaafjes meegeef: ik ga dit niet verkopen. Nooit. Ik eet nog liever een bord vol bladluis dan dat ik de beurs van Valentini spek.'

Neena en ik wisselden een bezorgde blik met elkaar. Was dit een normale houding voor iemand van een tuincentrum? En waarom sprak die man over Valentini? Dat was Chrissies achternaam, kende hij haar soms? Ik keek het groezelige binnenplein rond en kon me nauwelijks voorstellen dat zij zich hier ooit tussen de gebarsten bloempotten en roestige schoppen zou vertonen.

De man deed nog een stap naar ons toe.

De hond likte zijn lippen.

'Je mag mijn voorouders dan hebben opgelicht, maar mij misleid je niet!' Hij hief zijn bloederige schaar op en wiebelde ermee voor zich uit. 'Hup, scheer je weg voordat ik je nijp waar je bij staat!'

Ik keek opzij naar Neena. Ze was wit weggetrokken en haar ogen stonden groot.

'Laten we maar gaan,' zei ze op dwingende toon, en ze liep al achterwaarts de steeg in. 'Dank u voor uw tijd. Het was prettig kennis te maken.'

Ik wilde achter haar aan lopen. Meer dan wat dan ook wilde ik nu keihard terug hollen naar de veilige omgeving van Neena's huis. Maar ik herinnerde me de woorden op het envelopje met Zonderlinge Zaadjes.

EN WAT JIJ ECHT NODIG HEBT ZAL JE AAN KOMEN WAAIEN.

Dit moest lukken, dat moest gewoon. Deze man vormde misschien wel de sleutel tot mijn succes en eeuwigdurend geluk. Ik hoefde hem alleen maar over te halen ons niet te vermoorden.

Ik hield mijn handen naar voren en probeerde hem door alle modder op zijn brillenglazen heen in de ogen te kijken. 'Luister, we zijn door niemand gestuurd. Ik ken niemand die Bruut heet. We zijn geen pestkoppen. Ik ben zelfs een heel braaf meisje. Ik ben klassenvertegenwoordiger bij ons op school.'

'En dat al voor het tweede opeenvolgende jaar,' vulde Neena aan met een piepstemmetje.

De frons van de man werd iets minder dreigend, maar de met bloed besmeurde schaar bleef gevaarlijk voor hem uit wiebelen.

'We kwamen alleen maar voor wat tuinspullen.' Ik probeerde me te herinneren wat ik op de voorkant van *Tuinie-*

ren voor kinderen had gezien. 'Iets van modder, of zo? En een pot? Kunt u ons daarbij helpen? O, en zou u die schaar ook even willen laten zakken, ik kan me niet concentreren als hij zo glanst in het licht.'

De oude man knipperde een paar keer en zette zijn modderige bril af. Hij veegde hem af met een vieze zakdoek en zette hem weer op zijn neus. Ook al had hij de viezigheid eerder verplaatst dan van zijn glazen weggepoetst, hij leek ons nu pas voor het eerst goed te zien. Zijn frons verdween nu helemaal en zijn gezicht werd vriendelijker. Hij keek naar zijn wapen en begon, tot mijn grote verbazing, zachtjes te gniffelen.

De hond kwispelde.

'Een schaar?' Hij grinnikte. 'Dit is niet zomaar een schaar! Dit, kleine meid, is een kunstwerk. Je kijkt nu naar een levensecht knipwerktuig. Een snoeischaar voor het zwaardere werk, zo je wilt. De beste die er is. Ik noem haar Dorien. Ik heb 'r al twintig jaar en ze is nog net zo scherp als toen ik haar voor het eerst gebruikte. Nou, ja, afgezien van een beetje roest hier en daar, maar daar kan ze wel tegen.' Hij veegde voorzichtig met zijn vinger vol grasvlekken over het mes, alsof hij een traantje van een babywangetje wegpinkte.

Die rode vegen waren róést! Ik ademde meteen wat rustiger in en uit.

'O, eh... ja, ze is heel mooi,' zei ik.

De hond kwispelde met zijn staart en liet een lange, roze tong uit zijn bek hangen.

De man kwam wat dichter bij ons staan en toen brak er een glimlach door zijn bruine, leerachtige rimpels heen. 'Nou, ik moet toegeven dat jullie er ook niet uitzien als typisch Valentini-tuig, nu ik jullie eens wat beter bekijk.'

Neena en ik keken elkaar nieuwsgierig aan.

'Wat is een tuig?' vroeg ze.

We stonden met z'n drieën op het veel te warme binnenplein naar elkaar te staren. De oude man bekeek ons nog eens onderzoekend voor hij in zichzelf leek te knikken en Dorien liet zakken. Hij zette zijn bril weer af en keek er fronsend naar. 'Het spijt me dat ik jullie aanzag voor andere mensen. Maar tegenwoordig zijn dat de enige mensen die zich hier nog laten zien, en dat zijn me een stel schurken. Ik noem ze de Valentini-vuilakken, en onder jullie en mij en de klimop gezegd en gezwegen: als ik het wil overleven, moet ik ze blijven bang maken en verjagen.' Hij hief zijn kin op en keek het binnenplein zelfverzekerd rond, alsof het een slagveld was. 'Mijn motto is simpel: behandel ze als een stel slakken – zorg dat jij aanvalt voordat zij het doen.'

Ik had letterlijk geen flauw idee waar hij het over had, maar het leek me beter om te blijven knikken.

Hij gaf zijn hond klopjes met handen vol levervlekken. 'Dit stadje is niet meer wat het ooit was. Geen tuinen meer.

Geen gras. Alleen nog maar een hoop Valentini-vuilakken die maar goedkope betonnen containers willen bouwen zonder enige buitenruimte. Flatgebouwen noemen ze die. Ik vind het meer hamsterkooien, maar dan voor mensen.'

De hond jankte zacht.

'Maak je niet druk, meissie,' zei hij geruststellend. Hij keek ons opeens geïnteresseerd aan. 'Zeiden jullie nou dat jullie wilden *tuinieren*?'

Nu de man zijn ogen niet langer moordlustig tot spleetjes kneep, zag ik dat ze een mooie groene kleur hadden, met lichtbruine vlekjes erin.

'Ja,' zeiden we tegelijk, en ik had nooit durven dromen dat één woord een ander mens zo stralend zou laten glimlachen.

'Nou, dan zijn jullie hier aan het juiste adres. Welkom bij Wonderlingh.'

Hoofdstuk 12

'Als je echt een pietje-precies wilt zijn, dan is het eigenlijk Wonderlingh & Zoon, en ik ben de zoon. Mijn moeder is een jaar of tien geleden overleden, vlak nadat ze een taart had gebakken voor mijn zeventigste verjaardag. Maar goed, voor wat het waard is ben ik hier nu de baas. De baas over een hele berg gebroken bloempotten, dat wel, maar zolang er een Wonderlingh in Betondeugd is, zal er een Tuincentrum Wonderlingh zijn.' Hij tikte zijn hakken tegen elkaar en keek ons stralend aan. 'Sid Wonderlingh, tot jullie dienst.'

De hand die hij ons toestak was ruw, de huid zat vol kloofjes en er zat aarde onder zijn vingernagels, maar toen hij ons de hand schudde voelde het warm, vriendelijk en stevig – alsof hij ons niet daarnet nog gevaarlijk zwaaiend met zijn snoeischaar gedreigd had te 'nijpen', wat dat ook mocht betekenen.

'Ik ben Bloem en dit is mijn beste vriendin, Neena,' zei ik.

'Aangenaam kennis te maken,' zei Sid, die ons druk de hand schudde. 'O, en dit oude meissie hier is Fleur.'

De oude zwarte hond kwam aangewandeld en duwde haar natte neus tegen mijn hand aan. Sid keek trots naar haar.

'Ze willen meer weten over tuinieren,' mompelde Sid. 'Stel je voor. Ik dacht niet dat de jeugd van tegenwoordig nog interesse had in dit soort dingen. Enig idee wat jullie willen planten?'

'We hebben een envelopje met zaadjes,' zei ik.

'O ja?' zei Sid opeens nogal bits. 'En waar heb je dat gevonden dan?'

Ik aarzelde. 'Het lag begraven...'

'Onder een hele stapel andere verjaardagscadeaus,' zei Neena. 'En het etiketje is ervanaf gevallen. Ja, toch, Bloem?'

'Ja, het is allemaal nogal mysterieus,' zei ik, blij met Neena's snelle actie. Ik wilde niet dat iemand anders erover te weten kwam, vooral niet als we daardoor mogelijk in de problemen zouden komen.

Sid aaide over Fleurs kop en zijn gevlekte ogen straalden iets uit wat ik niet kon ontcijferen. 'Dan heb je in elk geval wat potgrond nodig.' Hij draaide zich om naar de deur.

Fleur liep langzaam achter hem aan en zwiepte met haar staart.

'Kom maar even mee om te kijken.'

Binnen lag alles heel netjes geordend. Bloempotten in diverse maten stonden netjes in kasten opgestapeld. Er waren rekken vol met zaadjes, zakken potgrond en planken vol met allerlei tuingereedschap. Het zag eruit alsof alles liefdevol was neergezet, ook al lag er een laag grijs stof op die zo dik was als mijn duim. Sid leek het niet te merken. Terwijl hij zijn winkel rondkeek, rechtte zijn rug zich en werd zijn grijns breder.

Neena en ik keken elkaar aan. Het was overduidelijk dat er in heel lange tijd niemand meer iets in deze winkel had aangeraakt.

'Hebt u het erg druk tegenwoordig?' vroeg Neena.

'Niet echt,' gaf hij toe. 'Maar ik weet me te redden. Ik heb achter nog mijn kippen en mijn moestuintje. Ik heb genoeg te eten. En ik heb Fleur.'

We keken wat ongemakkelijk om ons heen, onzeker wat we daarop moesten zeggen.

'Nou, ik kan hier niet de hele dag blijven kletsen, ik heb zaadjes te zaaien, dingen te kweken… Laten we maar aan de slag gaan, een rollende steen vergaart geen mos.' In zichzelf mompelend liep Sid langs de kasten en planken, en hij maakte laarsafdrukken op de stoffige vloer.

'Juist. Nou, als je al zaadjes hebt, dan heb je deze soort potgrond nodig… en een zaaibak. Hebben jullie al tuinhandschoenen? Nee? Pas dit paar eens eventjes. En je hebt een gieter nodig met een broes van redelijk formaat – zo noemen we dat ding op de tuit met die gaatjes erin, de sproeikop, die ervoor zorgt dat het water er niet in één keer uit gutst en de aarde verzuipt. Zaailingen geven de voorkeur aan een voorzichtig slokje, liever dan een flinke teug. De vergissing is gauw gemaakt, maar je wilt het vermijden waar mogelijk. En maak je geen zorgen als ze niet gelijk opkomen, want zaadjes hebben even nodig om te ontkiemen. Je moet geduldig zijn...'

En zo ging hij verder. Zijn gebogen houding verdween terwijl hij de winkel rond danste, dingen van planken pakte en opgewonden met ons praatte, ons allerlei tips en adviezen gaf en af en toe zijn verhaal pauzeerde om voor te doen wat we moesten doen. Zijn handen gebaarden in de lucht alsof hij voor ons aan het tuinieren was. Fleur bekeek hem met haar vriendelijke bruine ogen en naast me was Neena druk bezig met het maken van aantekeningen. Zo af en toe onderbrak ze hem met een vraag als ze niet goed begreep wat hij bedoelde.

Ondertussen dacht ik na over hoe anders Tuincentrum Wonderlingh was dan alle andere winkels van Betondeugd die ik kende, met hun chagrijnige kassamedewerkers waar geen glimlachje vanaf kon, hun gigantische bewakingscamera's en de bordjes die de klanten zogenaamd vriendelijk verzochten iets niet te doen, maar die in werkelijkheid nauwelijks vriendelijk te noemen waren. Bordjes als **NIET MEER DAN**

3 BASISSCHOOLLEERLINGEN TEGELIJK IN DE WINKEL en **WAT JE BREEKT MOET JE BETALEN!!!**

Hier waren de enige briefjes die er hingen met de hand geschreven, en er stonden dingen op als:

Na een tijdje lag er een aardig hoopje spullen naast de kassa. Ik staarde ernaar en bedacht ineens dat er nog iets ontbrak.

'Sid, hebben we niet ook iets van een schepje nodig?'

Hij knikte en schonk me een nogal vreemde blik. 'Een troffel, bedoel je. Die moet je zelf uitkiezen. Dat is een heel speciaal moment, hoor, als je je eerste troffel kiest.'

Hij nam ons mee naar een rek in de hoek waar allerlei soorten en maten tuingereedschap hing. Hij gebaarde er vol trots naar. 'Daar,' zei hij. 'Daar hangen de handige hulpjes voor in de tuin. Ga maar kijken welk je het meest aanspreekt.'

Neena pakte een zilverkleurige troffel met een lichthouten handvat.

'Een fantastische keuze,' zei Sid goedkeurend. 'Een troffel van koolstofstaal met een prachtig handvat van essenhout. Een zeer goede alleskunner.'

Neena straalde.

Toen was ik aan de beurt.

'Neem de tijd,' drukte Sid me op het hart.

Ik keek naar zilverkleurige troffels, stalen troffels, glanzende koperkleurige troffels die leken te gloeien in het halflicht van de winkel, troffels met bloemen op de handvatten, troffels in zachte pasteltinten. Die wilde ik allemaal niet.

Ik keek verder omhoog, richting het plafond, en zag de enorme spinnenwebben die aan de dakspanten hingen. En ineens viel mijn oog op iets, hoog boven ons hoofd, vastgespijkerd aan de middelste balk. Het was een kleine, bescheiden groene troffel. De meeste verf was er wel afgebladderd en onder dat laagje was een roestig bruin metaal zichtbaar.

'Mag ik die daar?' vroeg ik.

'Die behoorde toe aan een heel speciaal iemand.' Sids stem klonk zacht. 'Hij is eigenlijk niet te koop. Maar...'

Hij liet zijn hand door zijn witte haar glijden, smeerde daarbij een veeg modder op zijn voorhoofd en bekeek me van top tot teen. De vragen in zijn ogen leken met de minuut urgenter te worden. Hij hield zijn hoofd schuin en keek naar het plafond, alsof hij daarboven iemand zocht.

'Wil een stel zaadjes zaaien, maar heeft geen idee wat er in het zakje zit,' mompelde hij. 'Hield zich staande terwijl ik met Dorien rondzwaaide… heeft nooit eerder iets in de tuin gedaan… staat ineens hier voor de deur, de eerste klanten sinds ik weet niet meer wanneer… Ziet jouw oude troffel, ook al was zelfs ik vergeten dat hij daar hing… Tja, ik geloof dat je het wel goed zou vinden.'

Toen Sid weer omlaagkeek stonden zijn ogen helder en rustig, alsof zijn vragen waren beantwoord. Hij pakte een ladder uit een hoek van de winkel en zette die tegen de muur. Hij keek me aan alsof hij een mening over me probeerde te vormen. 'Pak je troffel maar, Bloem.'

Ik deed wat hij me opdroeg en tilde hem voorzichtig van de roestige spijker. Toen ik weer op de grond stond draaide ik hem om in mijn handen, en het gewicht ervan beviel me wel. Aan de zijkant van het handvat stond een kleine zwarte *A* geëtst, samen met het jaartal *1826*.

Toen Sid weer iets zei, klonk zijn stem nogal gebroken. 'Hij behoorde toe aan mijn bet-betovergrootmoeder, Agatha Wonderlingh. Ze woonde bijna tweehonderd jaar geleden in Betondeugd, toen het hier allemaal nog heel anders was.' Hij wees naar de troffel in mijn handen. 'In 1826 zou ze elf jaar oud zijn geweest – jouw leeftijd, zo'n beetje, gok ik. Ze heeft die troffel haar hele leven gebruikt.'

Instinctief wreef ik met een vinger over het handvat. Het voelde glad en versleten onder mijn vingertopje.

'Arme oma Aagje.' Sid glimlachte zwakjes. 'Ze had een gebroken hart, dankzij die Valentini-vent.'

Hij wachtte alsof hij nog meer te vertellen had. Maar mijn hersens raceten al verder vooruit, naar mijn berg huiswerk en de klusjes die thuis nog op me wachtten. Ik kon niet goed stil blijven staan en hij zal mijn ongeduld hebben aangevoeld, want hij bloosde en glimlachte verontschuldigend.

'O, hemeltje, nou klets ik alweer aan één stuk door. Af en toe ben ik echt een praatgrage petunia. En het heeft toch geen nut om alles op te rakelen. Sommige verhalen kunnen maar beter op de composthoop blijven liggen.'

Hij schuifelde in zijn verschoten groene tuinbroek naar de deur toe. Voor het eerst die middag zag ik het gewicht van zijn meer-dan-tachtig jaar op zijn schouders drukken.

'Eh… Sid?' zei Neena.

'Ja, bloesempje?'

'Moeten we niet eerst betalen?'

Hij keek naar de berg spullen voor ons en ging toen heel overdreven iets uitrekenen op zijn vingers. Enkele ogenblikken later liet hij zijn handen weer zakken. 'Hoeveel heb je bij je?'

'Negen euro en twintig cent,' zei Neena.

'En nog vijfendertig cent en een geplette winegum,' voegde ik eraan toe, want die had ik nog in mijn rugzak gevonden.

'Tja, dat is ook toevallig,' zei Sid. 'Want bij elkaar is dit allemaal precies negen euro vijfenvijftig en een geplette winegum. Wat zeg je me daarvan?' Hij hield een gedeukt blauw blikje naar ons toe voor het geld, en het viel me op – dat kon ik ook niet helpen – dat er verder niks in zat.

Met een ervaren blik op alle spullen naast de kassa liep hij naar zijn schuurtje achterin. 'Als je die grote zak potaarde moet meenemen, kun je deze beter even van me lenen.'

Hij reed een kleine kruiwagen naar ons toe. Daar legden we alles in, inclusief Agatha's troffel.

'We zullen de kruiwagen zo snel mogelijk terugbrengen,' beloofde ik.

Hij haalde nonchalant zijn schouders op. 'Doe geen moeite, meisje.'

Op dat moment schoot Sids hand naar voren toe en omklemde mijn pols met een verbazingwekkend sterke greep. Zijn stem klonk ineens anders. 'Maar, Bloem, als er iets groeit, kom je dan terug om het me te laten zien?'

Ik schrok nogal van de plotseling felle blik in zijn ogen en kon alleen nog maar knikken.

We namen afscheid en gaven Fleur nog even een aai over haar koppie.

Vlak voordat we de overwoekerde steeg weer in doken, draaide ik me om naar Sid. Schaduwen van half gevormde vragen dansten door mijn hoofd. Misschien wáren er wel dingen die ik zou moeten vragen. Waarom had hij zo geschrokken gekeken toen ik vertelde dat ik een envelopje met zaadjes had? Waarom zei hij dat oma Aagje het vast wel goed zou vinden als ik haar troffel kreeg? En wat waren compostwormen nou weer voor dingen?

Misschien ging het me niets aan. Ik kende hem tenslotte nauwelijks. Zou ik niet veel te nieuwsgierig overkomen? Meneer Grittelsnert zei altijd dat vragen iets waren voor toetsen en examens, niet voor kinderen.

Sid stond gebogen in de deuropening, waar hij Fleur aaide en zacht iets in haar oor mompelde. Een vreemd gevoel van verdriet stak op in mijn binnenste toen ik hem zo zag. *De eenzame kapitein van de bloempotten.*

Ik draaide me om, duwde de kruiwagen voor me uit door het overwoekerde steegje en kwam uit op de straat aan de andere kant.

Hoofdstuk 13

We reden de kruiwagen door de hele stad naar de schuur bij Neena thuis. Tegen de tijd dat we alles hadden uitgepakt, was mijn Kweekvijveruniform drijfnat van het zweet en zat ik onder de aarde en de modder.

'Tuinieren is doodvermoeiend,' hijgde ik terwijl ik mijn voorhoofd depte.

Toen we de keuken in liepen voor een snackpauze, om iets te gaan drinken en een koekje te eten, besefte ik dat we evengoed een babyolifant in Neena's schuur hadden kunnen verstoppen zonder dat iemand bij haar thuis het merkte. Mevrouw Gupta zat nog op precies dezelfde plek als toen we weggingen en leek verwikkeld in een eindeloos staarwedstrijdje met haar laptopscherm. Ondertussen was Neena's oudere broer televisie aan het kijken, en hij had de gordijnen dichtgetrokken om het ongewenst felle namiddagzonlicht buiten te houden.

Ik keek op mijn horloge. Het was bijna zes uur. De middag was voorbij. Mijn moeders dienst zat erop en ze was nu vast al onderweg om me op te halen. Ze kon elk moment hier zijn, en ik had geen tijd meer voor mijn huiswerk. Die Zonderlinge Zaadjes waren er zeer goed in om mijn hele studierooster overhoop te gooien.

Ik tandenknarste. 'Kom mee, Neena, dan maken we ons *huiswerk* nog even af. In de schuur, denk ik zo.'

'Rustig aan daarbinnen, Bloem,' zei mevrouw Gupta, al keek ze nauwelijks op van haar scherm. 'Sommige van die chemicaliën kunnen zo het museum in; ze zijn antiek.'

'We moeten eerst onze zaaibak klaarmaken,' zei Neena, die haar aantekeningen raadpleegde.

'Welke was dat ook alweer?' vroeg ik geeuwend.

'Ik denk... Wacht even... Volgens mij is dat dit ding hier.' Triomfantelijk hield Neena een platte zwarte plastic bak omhoog. 'Daar moeten we potgrond in doen, de zaadjes erop zaaien... Ik denk dat jij dat moet doen, trouwens – dat heeft het envelopje jou opgedragen... en ze dan water geven. En dan moeten we ze op een warme plek laten staan... deze schuur zou goed genoeg moeten zijn. En dan beginnen ze over een paar dagen te groeien.'

Beginnen ze te groeien? *Over een paar dagen?*

Neena staarde wat vragend naar haar overvolle tafel met torens van bekerglazen met aangekoekte randjes, sommige nog halfvol met vreemde, kleurige vloeistoffen, en een stapeltje notitieboekjes. 'Ik moet misschien even een beetje opruimen. Wil jij de potgrond alvast pakken?'

Ik slaakte een diepe, vermoeide zucht bij wijze van antwoord en scheurde de zak met aarde open. Niets ging zo eenvoudig als ik had gehoopt. Tektonische platen bewogen nog sneller. Ik wilde graag meteen resultaat zien. Geen wonder dat Sid geen klanten meer had.

'Eh... Bloem? Is alles oké?' Neena staarde naar mijn handen.

Ik had het envelopje Zonderlinge Zaadjes zo stevig vast dat mijn knokkels helemaal wit waren.

'Ja,' zei ik bits. 'Kon niet beter.' Ik scheurde het open en tuurde erin. In het envelopje lagen de opgedroogde zaadjes met hun griezelige stakige tentakeltjes. 'En wat moet ik nu doen?'

Neena keek in haar aantekeningen. 'Je moet een paar zaadjes tussen duim en wijsvinger nemen en ze lichtjes boven op de aarde sprenkelen. Niet begraven in de aarde, maar gewoon erbovenop laten liggen.'

Ik staarde naar de inhoud van het envelopje.

'Waar wacht je op?' vroeg ze.

'Ik... ik vind het gewoon een beetje eng om ze aan te raken,' gaf ik toe. Mijn vingertoppen waren nog steeds wat gevoelig van het moment waarop het envelopje was gaan gloeien. Wat als de hitte aan de binnenkant nog veel erger zou zijn?

'Ja, snap ik,' zei Neena en ze keek naar de zwarte zaadjes. 'Goed punt. Daar hebben we al een blaar aan overgehouden. Waarom giet je ze er niet gewoon uit? Dan hoef je ze helemaal niet aan te raken.'

Opgelucht schudde ik het envelopje Zonderlinge Zaadjes heen en weer boven de zaaibak. Ik zag ze op de donkere aarde landen. 'Denk je dat ik iets moet zeggen of zo?'

Neena trok de wenkbrauw met de rode plek op. 'Zoals?'

'Ik dacht gewoon dat ze misschien wat begeleiding nodig hadden. Instructies. Je weet wel, een beetje leiderschap.' Ik boog voorover tot mijn mond vlak boven de aarde hing en fluisterde: 'Help me goed te zijn en beter te worden.'

Ik realiseerde me uiteraard pas heel veel later dat de Zonderlinge Zaadjes totaal geen boodschap hadden aan wat ík graag wilde bereiken.

Mijn moeder haalde me vijf minuten later op.

'Heb je een fijne dag gehad?' vroeg ze.

‘Ging wel. Jij?’

‘Ja, het was oké,’ zei ze terwijl ze zich in onze auto propte. ‘Ik heb een overleg gehad met mijn baas. Ik had een geweldig idee voor een nieuwe lijn pizza’s, met versere ingrediënten. Ik heb zelfs een paar van mijn eigen recepten laten zien… dingen waar ik thuis mee bezig ben geweest.’

‘En?’

‘Ach, je weet wel. De gebruikelijke reactie: dat ze erover zou nadenken. En vervolgens kreeg ik de opdracht de buis met smeltkaas schoon te maken, die helemaal verstopt was geraakt.’ Mama staarde naar de stoep.

‘Gaaf, mam!’ zei ik. ‘Als ze erover nadenkt, is dat toch goed nieuws?’

Het bleef even stil. ‘Ja, dat zal wel,’ zei ze. ‘Je weet het maar nooit. O, en raad eens? Ik heb iemand gevonden die het terras kan repareren. Hij komt morgen, en neemt een hele verse lading beton mee.’

Dat was precies wat ik even moest horen. Misschien zou dan alles eindelijk weer gewoon normaal worden.

Hoofdstuk 14

Onderweg naar school de volgende ochtend had ik géén tijd voor kletspraatjes.

'Zijn ze al gegroeid?' vroeg ik Neena meteen.

'Nog niet, maar Sid zei al dat het een paar dagen zou duren.' Ze grijnsde. 'En als we dan toch moeten wachten tot er iets gebeurt, misschien kunnen we dan vandaag aan míjn project werken.'

'O?' Ik moest mijn gedachten losmaken van al mijn kopzorgen. 'En welk project is dat?'

'Ik wil een protest organiseren tegen de examenzaal,' zei ze trots.

'Een wát?'

Ze pakte een klembord uit haar rugzak. 'Ik heb gisteravond een petitie zitten tikken om meneer Grittelsnert te laten zien hoeveel leerlingen er tegen zijn plan zijn. Ik ben van plan om tijdens de lunch allemaal handtekeningen op te halen. Als iedereen tekent, zal hij er twee keer over na moeten denken voor hij aan de slag gaat. Kijk eens.'

Ze hield het bord met een zwierig gebaar omhoog. Ik kromp ineen toen ik de dikke, zwarte zinnen boven aan het vel papier las:

```
Geen beton op ons speelveld.
Spelen gaat voor op examens, kinderen
gaan vóór beton.
Het is maar goed dat er geen toets is
voor hoe goed een schoolhoofd is, meneer
Grittelsnert, anders zou u zijn gezakt.
Namens alle ondertekenaars...
```

Ik staarde haar aan. 'Ben je gestoord?'

Neena stak haar kin uitdagend naar voren. 'Toe nou, Bloem, dit is belangrijk. Wil jij de tweede zijn die haar naam eronder zet?' Ze stak me het klembord toe.

'Neena, als ik jouw petitie onderteken, kan ik die prijs net zo goed meteen uit mijn hoofd zetten,' zei ik.

Nu staarde zij naar mij. En ik herinnerde me ineens hoe mooi ik het uitzicht op mijn schoolschoenen vond.

'Dan teken je toch niet?' Ze klonk teleurgesteld. 'Ik weet zeker dat er genoeg andere leerlingen zijn die meer geven om hun toekomst dan om een weekje vakantie in de zon en een of andere stomme button.'

'Het is niet zomaar een button,' mompelde ik. 'Je mag ook de rij in de kantine overslaan. Dat is ook belangrijk.'

Maar het ging om heel veel meer dan dat. Ik kon al die andere dingen alleen niet zo goed onder woorden brengen, vooral niet wanneer Neena me op die manier aankeek en alle andere kinderen zich steeds meer om ons heen drongen nu we het schoolhek hadden bereikt.

Als we ergens anders waren geweest, had ik Neena geprobeerd uit te leggen dat ik mama zo graag mee wilde nemen naar een plek ver van alle somberheid bij ons thuis, weg van al die dingen die kapotgingen, die kreunden en jankten en stonken. Dan had ik verteld dat ik af en toe het gevoel had dat ik het enige was wat er nog tussen haar en het huis in stond.

Neena's stem werd luider toen we over het plein liepen. 'Vind je het niet een heel klein beetje verdacht dat meneer Grittelsnert ons pas over de examenzaal vertelde nádat hij de wedstrijd had aangekondigd? Alsof hij ons eerst probeerde af te leiden met een glimmende prijs voordat hij het slechte nieuws bracht? Het is net alsof die vakantie een soort dikke, vette nepwortel is die aan een stokje bungelt en wij een stel hongerige ezels zijn. Hij leidt ons af met de wortel, zodat hij een examenzaal kan bouwen die we niet nodig hebben, op de plek van ons allerlaatste overgebleven speelveld.'

'Hé, ik ben geen ezel!' protesteerde ik half lachend. 'Trouwens, als hij ons echt allemaal een stel ezels zou vinden, zou hij die hele wedstrijd niet hebben bedacht, toch? Geen vakantie als prijs, niet al die speciale voorrechten, zoals je eigen stoel op het podium tijdens een bijeenkomst...'

Neena snoof. 'Weet je wat? Ga jij maar van je speciale stoel genieten,' zei ze met vlammende ogen. 'Want iets anders is er dan toch niet te doen, niet als er een gloednieuw lokaal boven op het speelveld wordt gebouwd. Klinkt echt als een fantastisch plan,' zei ze sarcastisch.

Haar humeur sloeg al helemaal om toen we de hoek om liepen en ze het felgele lint zag waarmee het speelveld was afgezet. HOUD AFSTAND! BOUWWERKZAAMHEDEN IN UITVOERING – BLIJF ACHTER DIT LINT.

'Zo te zien heb ik geen moment te verliezen,' verzuchtte Neena.

De stilte tussen ons in voelde gespannen en netelig, en ik was dan ook blij toen we het lokaal van de Lamineermachines in liepen.

Later die ochtend, vlak nadat de schoolbel de kleine pauze had aangekondigd, probeerde Neena het nogmaals.

'Ik ga nu naar buiten om handtekeningen te verzamelen voor de petitie,' zei ze zacht. 'Dus als je wilt helpen...'

Ik keek omlaag naar mijn tafel en voelde mijn wangen gloeien. Waarom bracht ze me in zo'n lastige positie? Snapte ze dan niet wat er écht belangrijk was?

'Nou, tot later dan,' zei ze en ze stond vlug op.

'Doei.'

Ze wist Bram, Robbie en Elka in te halen en toen ik hun stemmen verder de gang in hoorde verdwijnen, dacht ik er nog even aan om mijn stoel naar achteren te schuiven en mee te lopen naar buiten. Maar ik hield me in en dacht nog net op tijd aan het schoolmotto: *Geef gehoor aan gehoorzaamheid. Laat je vormen door gelijkvormigheid. Voorschriften en regels voor altijd.* Met Neena meegaan naar buiten en haar helpen met die petitie zou tegen álle regels ingaan.

Een vreemde kreet van buiten onderbrak mijn gedachten. Ik keek rechts van me uit het raam en zag Neena weglopen bij een groepje kinderen dat haar hoofdschuddend nakeek. Vlakbij stonden Chrissie en Bella te gieren van het lachen. Neena hield haar hoofd omhoog, maar ik had marshmallows kunnen roosteren in de hitte van haar rode wangen. Elka, Bram en Robbie stonden als groepje wat onzeker in haar buurt en ze leken allemaal van streek.

Ik ademde diep in en nam me voor om niet in beweging te komen.

Hoofdstuk 15

Toen de laatste schoolbel was gegaan kon ik tot mijn enorme opluchting vluchten naar de naschoolse opvang, waar me Neena's absoluut onredelijke teleurstelling in mij als vriendin bespaard zou blijven.

Elka wees naar de stoel naast haar. 'Wil je hier komen zitten, Bloem?' bood ze aan. 'Je ziet er moe uit. Maak je je soms zorgen om je moeder? Wil je dit nieuwe tijdschrift lezen dat ik heb gekocht? Er staat een interview in met Sisters of Crush.'

Ik negeerde het tijdschrift dat ze voor mijn neus heen en weer wapperde. 'Waarom zou ik me zorgen maken over mijn moeder?'

Elka's blauwe ogen werden groot. 'Mijn moeder heeft haar zien huilen, gisteren, voor de deur van de fabriek.'

Ik fronste. 'Misschien zat er iets in haar oog. Ze houdt van haar werk.'

Elka kneep haar ogen iets dicht, maar haalde toen haar schouders op. 'Mijn moeder niet. Ze zegt dat haar baas een slavendrijver is. Maar misschien heb je gelijk en heeft ze zich vergist,' stemde ze in. 'Kijk eens naar Sisters of Crush, ze hebben gewoon vijf pagina's aan foto's gedaan...'

'Nee, hoeft niet,' zei ik snel. 'Ik denk dat ik maar aan mijn huiswerk ga beginnen.'

'O ja,' zei Elka en ze borg haar tijdschrift weer op. 'Laat ik dat ook maar doen.'

Het werd stil in het lokaal. Normaal gesproken vlogen die twee uur voorbij en was ik blij met de gelegenheid om dingen in te halen en af te maken, maar vanmiddag kon ik me nergens op concentreren. Mijn vingers waren nog stééds pijnlijk aan het wiebelen, wat het heel moeilijk maakte om even netjes te schrijven als anders, maar nu maakte ik me ook nog zorgen om mijn moeder.

Wat als ze wél buiten de fabriek had staan huilen? Misschien was ze toch meer van streek over het terras dat ik kapotgemaakt had dan ze had laten merken.

Ik keek op, op zoek naar iets om me af te leiden. Juffrouw Zonnedauw zou toezicht op ons moeten houden, maar ze zat in plaats daarvan over een tijdschrift heen gebogen en had zich teruggetrokken in haar eigen wereld. Ik zag een bord met koekjes staan, wandelde daarnaartoe en terwijl ik deed alsof ik een of twee koekjes voor mezelf ging halen, rekte ik mijn nek om te kunnen zien wat ze zo interessant vond.

Ik had mijn koekje bijna laten vallen van verbazing toen ik zag dat het tijdschrift vol stond met foto's van bloemen en planten. Juffrouw Zonnedauw keek op, zag mij en sloeg schuldbewust de bladzijdes dicht.

Ze bloosde. 'Ik heb tuin- en landschapsarchitectuur gestudeerd na de middelbare school,' fluisterde ze. 'Daarmee kun je tuinen ontwerpen,' voegde ze eraan toe toen ze mijn niet-begrijpende blik zag. Ze haalde haar tengere schouders op. 'Maar er is hier in Betondeugd weinig vraag naar dat soort werk, dus lees ik er maar tijdschriften over.'

Ik staarde haar aan en voelde dat mijn hersens iets probeerden te grijpen wat net buiten hun bereik lag. 'Bedoelt u dat u niet...'

Juffrouw Zonnedauw zuchtte. 'Er is geen groen te bekennen in dit stadje,' zei ze. 'Is je dat nog nooit opgevallen? Alles is bebouwd en geasfalteerd.' Ze beet op haar lip.

Ik knipperde en voelde me gevleid dat ze me dit in vertrouwen vertelde, maar ik wist niet wat ik erop moest zeggen.

Ze wachtte even en sloeg haar ogen op naar het plafond boven haar bureau, alsof ze probeerde te voelen waar meneer Grittelsnert zich nu bevond.

'Luister, zeg alsjeblieft tegen niemand dat je me dit zag lezen, goed? Oom… ik bedoel, meneer Grittelsnert wil niet dat ik over de natuur praat. Hij wil er niets van weten als je het niet met een stofzuiger kunt schoonmaken.'

Ik knikte, te zeer afgeleid om iets uit te brengen, en liep terug naar mijn tafeltje. Ik wist nog net een van de pijnlijke elastiekjes te ontwijken die Chrissie graag tegen mijn nek aan schoot.

Thuis in onze keuken trof ik een bouwvakker aan die zijn handen waste in de gootsteen.

'Nou, dit is wel de vreemdste klus die ik ooit heb gehad, mevrouw Akkerman,' zei hij terwijl hij zijn handen aan zijn smerige spijkerbroek afveegde.

'Hoezo dat, Vinnie?' vroeg mijn moeder, die naast me aan de keukentafel zat terwijl ik mijn tanden in een punt afgekeurde pizza zette.

Hij draaide zich om en keek ons aan met een frons op zijn pukkelige voorhoofd. 'Nou, ik wilde vandaag dus de oude, gebarsten tegels weghalen zodat ik een nieuwe fundering kon gaan graven.'

'Ja?' zei mijn moeder.

'Maar… Kijk, het zit zo: voordat je nieuwe terrasstenen kunt neerleggen, moet je de grond eronder eerst helemaal vrij hebben van onkruid en planten en zo, weet je. Dan is de fundering egaal en recht. Maar elke keer dat ik dacht dat ik alles had gehad, draaide ik me om en zag ik nog veel meer onkruid uitsteken, en dat op een plek waarvan ik had kunnen zweren dat ik die net had gedaan,' zei Vinnie, krabbend op zijn hoofd. 'Ik ben bijna de hele dag bezig geweest met het verwijderen van die dingen, mevrouw Akkerman. Het leek wel alsof die plantjes sneller gingen groeien zodra ik juist meer grond had vrijgemaakt. Net een soort woekerkruid.' Hij wachtte even en keek om naar de achtertuin, waar de lelijke wilg met de wind meedeinde. 'Daardoor is het me vandaag niet gelukt het beton te storten, zoals ik van plan was. Ik kom morgen wel terug, en dan neem ik een maat mee. We regelen dit wel, hoor, geen zorgen. Ik laat zoiets als wat plukjes gras en onkruid me echt niet in de wielen fietsen.'

'Oké,' zei mijn moeder. 'Dank je.'

'Tot morgen dan maar,' zei Vinnie, en terwijl hij de keuken uit liep, wierp hij nog een twijfelende blik over zijn schouder.

Ik keek naar mama's bezorgde gezicht, pakte mijn mobieltje en verstuurde meteen een berichtje naar Neena.

Groeien ze al? B x

Vijf minuten later ontving ik haar antwoord. Nee.

Geen x'je erachter, viel me op. Ze was blijkbaar nog steeds boos op me omdat ik niet had geholpen met de petitie.

Mijn tweede voornaam zou net zo goed 'Adelaarsoog' kunnen zijn, zo scherp was ik. Maar niet heus.

Hoofdstuk 16

Halverwege de Engelse les de volgende dag moesten we om de beurt voorlezen uit meneer Grittelsnerts boek, dat hij in eigen beheer had uitgegeven. Het was getiteld: *Haal met zijn allen het allerbeste uit jezelf – val op door erbij te horen*. Ineens bekroop me een heel raar gevoel. Het was net alsof iemand iets in mijn rechteroor fluisterde.

'Wát?' vroeg ik Neena geïrriteerd fluisterend. 'Ik probeer me te concentreren.'

'Ik zei niks,' antwoordde ze.

Ik draaide me met een ruk om en vroeg me af of Chrissie weer eens een geintje met me uithaalde, maar die keek me aan met een spottend lachje en hield zich toen weer bezig met haar gespleten haarpuntjes.

Maar ik hoorde het weer. *Waarom zijn ze nog niet gegroeid, Bloem?* sprak een stem in mijn hoofd.

Toen ik eenmaal weer rustig kon ademen, antwoordde ik in gedachten: *Ik ben ermee bezig. Ik doe mijn best.*

Doe beter je best, zei de stem. *Lap de regels aan je laars. Anders is je kans verkeken.*

Lap de regels aan je laars? Welke regels? De regels van het tuinieren? De schoolregels? Maar dan nog… *moest ik de regels negeren?*

Ik weet niet wie er nou geschifter was: ik omdat ik een stem hoorde, of de eigenaar van die stem vanwege het gestoorde advies.

Na de lunch liepen we naar buiten naar het kleine vierkante pleintje naast de afvalcontainers, waar honderden leerlingen constant tegen elkaar aan botsten en stootten, opeengepropt in een veel te kleine ruimte nu het speelveld verboden toegang was.

'Het lijkt wel op botsauto's, maar dan met mensen,' bromde Neena, die zich door een flessenhals van tweedegroepers heen moest wurmen. 'Gevangenen hebben zelfs een grotere buitenruimte dan wij.'

Ik pakte haar hand vast, nog steeds geschrokken van de stem die ik had gehoord. 'Het is nu eenmaal zo. Luister, zijn die Zonderlinge Zaadjes al uitgekomen?'

'Nog niet,' verzuchtte Neena, en ze rolde met haar ogen. 'Maar Sid heeft nog zo gezegd dat ze een paar dagen nodig zouden hebben om te ontkiemen.'

'*Maar die paar dagen zijn nu wel voorbij!*'

Een paar leerlingen vlakbij keken ons raar aan.

Ik liet mijn stem zakken. 'Ik ben gewoon bang dat ik geen tijd meer heb. Het is lastig uit te leggen, maar...'

Mijn zin werd onderbroken door het geluid van een enorme, mechanische brul die door de lucht sneed, gevolgd door een luid schrapende herrie, alsof onze school door een of ander hongerig wezen werd verscheurd.

Chrissie grijnsde. 'Dat zullen de gravers zijn,' zei ze opschepperig. 'Papa wil graag dat ze op tijd beginnen.'

Neena en ik staarden elkaar aan, en met een gemeenschappelijke vijand die ons verbond, zakte de spanning tussen ons weg.

Ze keek me wat vriendelijker aan. 'Kom zaterdagochtend langs, dan kunnen we samen gaan kijken.'

'Dank je,' zei ik zwakjes. 'Dat zou geweldig zijn.'

Toen ik die avond thuiskwam, was de blik in Vinnies blauwe ogen nog net wat wanhopiger geworden. 'Johan en ik hebben wel alle kapotte tegels weg kunnen halen,' zei hij na een poosje.

'Goed zo,' zei mijn moeder.

'En het is gelukt die woekerende grassen en planten de baas te blijven, zodat we de grotere stenen en mortel konden storten,' ging hij verder. 'Sterker nog, we hebben de nieuwe tegels neergelegd, bijna helemaal tot aan die... boom.' Vinnie huiverde bij dat laatste woord.

'Wat is er gebeurd?' vroeg mijn moeder.

'Het was echt heel gek. Maar die takken bleven ons maar slaan.'

'Sláán?'

'Ja, nou, ja... elke keer dat we nieuwe tegels rond de wortels van die boom wilden leggen, kregen we een soort... tik op ons hoofd. Eerst dachten we dat er een stel kinderen aan het spelen was, maar toen beseften we dat er geen kinderen in de tuin waren. Toen dachten we van elkaar dat we geintjes met elkaar uithaalden. Vervolgens werden we kwaad en kregen we bonje. En toen dachten we dat het door de wind kwam. Maar we snapten dat het de wind ook weer niet kon zijn, want die takken bleven ons slaan, ook als er geen zuchtje wind stond. En toen...'

'Is het gelukt om tegels rond de boom te leggen of niet, Vinnie?'

'Vandaag niet, nee,' zei Vinnie, en hij legde voorzichtig een hand tegen zijn achterhoofd. Hij trok zijn schouders op en keek mijn moeder aan. 'Maar we komen morgen terug, met veiligheidshelmen.'

Hoofdstuk 17

Die zaterdagochtend stond ik al om halfacht bij Neena op de stoep.

'Ik ben toch niet te vroeg, hè?' vroeg ik haar toen ik me realiseerde dat ze haar Marie Curie-pyjama nog steeds aanhad en haar ouders vlak achter haar in de hal stonden, gekleed in een ochtendjas en met een slaperig hoofd.

'Geeft niks,' grijnsde Neena terwijl ze in haar ogen wreef. 'Je weet wat ze zeggen over de morgenstond, toch?'

'Voorzichtig daarzo, meisjes,' zei meneer Gupta, die de keuken in liep en de waterkoker aanzette.

'Ja, het zou fijn zijn om het weekend zowaar eens te beginnen zónder ritje naar de spoedeisende hulp,' voegde mevrouw Gupta daar geeuwend aan toe.

Toen we in de schuur stonden verdampte al mijn hoop. Neena had gelijk. Er waren geen kleine, groene uitlopers. Er was geen enkel teken van leven. De Zonderlinge Zaadjes lagen daar maar, als een stel opgedroogde oude kwalletjes op een akker.

Ik wierp haar een gefrustreerde blik toe. 'Heb je ze wel netjes water gegeven, precies zoals Sid zei?'

'Ik heb álles gedaan wat Sid zei. Ik heb ze water gegeven, ik ben bij ze gaan kijken tussendoor, ik heb ervoor gezorgd dat ze 's nachts bedekt waren, dat het warm genoeg was, dat er geen kou of tocht was. Het enige wat ik niet heb gedaan is ze in een dekentje wikkelen, ze warme chocolademelk geven en een slaapliedje voor ze zingen. Je moet echt niet bij mij wezen.'

'Misschien zijn ze gewoon te oud, Neena,' mopperde ik. 'Ze lijken ook wel een eeuw oud, vind je niet? Misschien was het wat geworden als ze eerder waren gevonden, maar nu is het te laat. Dat gloeien heeft waarschijnlijk hun allerlaatste restje energie opgemaakt en nu... zit er niets meer in.'

Neena gaf me een klopje op mijn schouder en zei: 'Het geeft niet. We hebben het in elk geval geprobeerd. Luister, gooi ze gewoon weg, dan mengen we wat willekeurige chemische stoffen en verhitten die op de bunsenbrander. Dat helpt mij altijd mijn gedachten te verzetten.'

'Oké,' zei ik met tegenzin. En ik pakte gewoon maar het

groene schepje op dat naast de zaaibak lag, boog me over de donkerbruine aarde en groef de Zonderlinge Zaadjes op.

WOESJ.

Een pulserende trilling van energie danste door mijn botten. Ik had het gevoel dat ik deel uitmaakte van iets groots, iets vreemds, iets... krachtigs. Ik vóélde in elk onderdeel van mijn lichaam dat er iets, of iemand, ergens beefde van razernij, van verraad, met daaronder een hint van droefheid, diepgeworteld en krachtig en vervlochten met een gebroken hart. Kleine knopjes van woede bloeiden op in mijn bloed.

'Bloem, is alles wel goed met je?'

'Ik, eh...' Maar meer kon ik niet uitbrengen.

Een vrouwenstem, zacht en krasserig en ruw van pijn, begon in mijn hoofd te zingen.

Ik sloot mijn ogen en voelde me opeens duizelig worden.

Haar stem werd luider.

Lang geleden verloor ik de strijd en de moed

maar deze zaden maken het wellicht weer goed.

Ik keek omlaag naar de trillende troffel in mijn hand, en toen krijsten we het allebei uit.

De Zonderlinge Zaadjes waren niet langer zwart en roerloos. Ze gloeiden. Ze leken tot leven gekomen en trilden stuk voor stuk met een mysterieuze energie.

'*Holy moly* aluminiumfolie,' mompelde Neena voor zich uit.

De stem ging verder, op lage, dwingende toon.

Hij sprak mooie woorden, keek me recht in de ogen,
toch waren al zijn beloftes gelogen.

'Bloem?' zei Neena.

'Wacht… ik ben even… er is een… een s-stem…' stamelde ik voordat die stem mijn woorden overstemde en ik alleen nog maar kon luisteren.

Nu ben ik dood, en lang moest ik zwijgen,
maar met deze zaden zal ik hem krijgen!
Help me dit onrecht te herstellen
en luister goed naar wat ik je ga vertellen:
jij moet nu diep in je hartje kijken
om te beseffen wat je echt wilt bereiken.
Denk daaraan als je je zaadjes zaait
en dat wat je nodig hebt komt je aangewaaid.
Ken je nog iemand die wel kan opfleuren?
Zaai dan wat zaad om hem op te beuren.
Ik weet hoe fijn het is om te geven.
Dit is het begin van een heel nieuw leven.

'Bloem, toe, werk even mee. Wat gebeurt er allemaal?'

'De stem praat nog steeds,' stamelde ik.

'Wie is het dan?'

Ik haalde mijn schouders op. 'Zeg jij het maa–'

De stem ging door.

Jij hebt de zaadjes en met mijn troffel erbij
zullen ze ontkiemen! Maak iedereen blij!

Tranen van geluk zullen spoedig stromen.

Verspreid de zaadjes, zorg dat ze uitkomen!

Mijn hoofd voelde net als een grote legpuzzel die hoog in de lucht was gegooid en waarvan de stukjes nu verspreid op de vloer waren geland.

'Momentje,' zei ik toen ik Neena's gretige gezichtsuitdrukking zag. 'Wacht. Ik moet even nadenken.'

Haar ogen stonden groot en ze knikte.

Ik staarde omlaag naar de troffel in mijn hand. De Zonderlinge Zaadjes gloeiden niet meer, maar nu twijfelde ik niet langer aan hun kracht.

Ik nam alle zinnetjes die ik gehoord had door in gedachten. Ik moest de zaadjes verspreiden… ik moest denken aan wie er nog meer kon opfleuren…

Oké. Nou, wat mij betreft kon Neena wel een oppepper gebruiken waar het haar houding tegenover school betrof. Ze mocht wel wat minder rebels doen. Die hele petitie waar ze nu mee bezig was, was een verspilling van haar tijd en haar energie.

En ik? Wat wilde ík echt bereiken?

Nou ja, dat was nogal voor de hand liggend, toch? Ik wilde mezelf weer zijn, maar dan beter. Verbeterd. Versie 2.0.

Dus ik wist al wát we wilden bereiken. Maar wáár moest ik die zaadjes dan zaaien om ze – de zaadjes en de wensen – te laten uitkomen?

Er viel een straal zonlicht door het stoffige raam van de schuur naar binnen, en hij scheen recht op Neena's hoofd.

Mijn hersens begonnen te kolken, als een fiets die sneller en sneller bergafwaarts rijdt.

'Ik weet waar we de Zonderlinge Zaadjes moeten zaaien!' zei ik happend naar lucht, en ik liet de troffel bijna vallen. Nu begreep ik waarom ze in de zaaibak niet waren gegroeid.

Ze moesten ergens anders worden gezaaid. Op een heel warm plekje. Een zonderling plekje.

'Ik moet ze op ons hoofd zaaien.'

Neena knipperde. 'Op ons hóófd?'

We schaterden het uit van het lachen.

Maar ze zag ineens iets aan mijn gezicht. 'Je meent het echt,' zei ze toen haar gegiechel wegzakte. 'Je wilt ze op ons hoofd planten.'

'Nou, het is maar een theorie,' zei ik. 'Ik denk dat we het zouden kunnen zien als een... experiment?'

Ze stond enthousiast op. 'Waar wacht je nog op? Kom maar hier!'

Ik stak een hand uit en raakte de Zonderlinge Zaadjes aan met mijn vingers. Deze keer voelde de hitte die erin zat geruststellend in plaats van pijnlijk.

De schuur vulde zich met een gouden gloed. Ik durfde nauwelijks adem te halen, en voorzichtig sprenkelde ik de Zonderlinge Zaadjes op Neena's hoofdhuid. Ze vlogen uit mijn vingers en ik zag ze nog heel eventjes gloeien voordat ze...

...verdwenen. Alsof ze door haar hoofd werden opgeslokt.

Een ogenblik lang had ik het gevoel dat er iets – of iemand – een boosaardig lachje kakelde.

Of was het een opgewonden lachje?

Het was moeilijk te zeggen.

Oké? Het was moeilijk om het verschil te weten. We hadden nogal een hoop aan ons hoofd op dat moment.

'Jouw beurt,' zei Neena.

Ik stelde me de glimlach op mama's gezicht voor als we eenmaal op dat strand lagen. Ik pakte wat Zonderlinge Zaadjes tussen duim en wijsvinger en bracht mijn hand tot boven mijn hoofd. Vervolgens strooide ik ze voorzichtig uit op mijn hoofdhuid.

Hoofdstuk 18

'Bloem? Lieverd? Wil je een kopje thee? Een geroosterde boterham?' Zachte vingers streelden over mijn haar.

'Welke dag is het?' mompelde ik.

'Zondag. Je hebt een aardig lang tukje gedaan.'

'Zondag? Wat is er met zaterdag gebeurd?' vraag ik met een zware tong.

Mijn moeders glimlach verslapte even. 'Weet je dat niet meer? Jeetje, je was ook wel érg moe. Nou, je kwam na de lunch thuis nadat je bij Neena was geweest, zei dat je graag een dutje wilde doen en ging naar bed. Ik heb geprobeerd je te wekken voor het avondeten, en vanmorgen voor het ontbijt, maar je lag zo diep te slapen dat ik je niet wakker kreeg. Heb je zo'n zware week achter de rug?' Ze legde haar hand op mijn voorhoofd. 'Hoe voel je je? Denk je dat je misschien een virusje te pakken hebt of zo?'

'Ik… ik… ik denk het niet,' stamelde ik.

'Het is hier nogal benauwd. Zal ik even een raam openzetten? Misschien heb je wat frisse lucht nodig – je zit de hele week binnen in die school…'

'Nee,' zei ik nogal fel, waar we allebei van opkeken. 'Doe de gordijnen niet open. Ik wil niet dat er licht naar binnen schijnt.'

Mama kneep haar groene ogen tot spleetjes. 'Waarom niet?'

'Ik kan het niet uitleggen,' mompelde ik, en ik draaide me om en drukte mijn gezicht in mijn kussen. 'Ik wil… ik wil het gewoon liever donker hebben om me heen.'

Het ging wel dieper dan dat. Ik wilde het donker helemaal om me heen wikkelen. Ik wilde erdoor ingepakt worden, het als een deken over me heen hebben liggen. En het meest van alles wilde ik dat het mijn hoofd zou bedekken. Ik stopte mijn hoofd weg onder mijn kussen en slaakte een zucht van opluchting.

'Ik geef je nog een uurtje,' zei mijn moeder met een vertwijfelde klank in haar stem, waarna ze opstond van het bed. Ik was alweer in slaap voordat de deur dichtviel.

'Het is drie uur 's middags. Wakker worden, slaapkop,' zei mijn moeder.

Ondanks mijn pijnlijke ledematen wist ik uit bed te komen. Ik trok mijn ochtendjas aan en liep strompelend de keuken in. Mijn moeder liep stilletjes achter me aan.

'Heb je trek in pannenkoeken?' vroeg ze.

Ik knikte.

Toen ze klaar was met bakken legde ze een stapeltje op mijn bord en keek me behoedzaam aan, alsof ze haar woorden aan het afwegen was. 'Bloem, lieverd, ik ben bang dat je dat... gedoedinges om die Kweekvijver-Ster iets te serieus neemt.'

Haastig slikte ik mijn hap pannenkoek door en ik kromp ineen toen een prop ongekauwd deeg omlaaggleed naar mijn maag. 'Wat?'

Ze sprak op vriendelijke toon. 'Schat, je zou echt geen hele dag liggen slapen als je geen stress voelde. Ik maak me zorgen om je.'

'Jij maakt je zorgen om míj?'

Ze knikte en de kleine zilveren ringen in haar oren schommelden naar voren en weer naar achteren.

De kraan drupte. De leidingen kreunden. Het geluid van de krakende takken van de wilgenboom die heen en weer zwiepten over het kapotte terras werd steeds luider. *Kraak. Kraak.*

Ik overwoog haar de waarheid te vertellen. *Maar jij bent juist degene die zo ongelukkig lijkt, mam. Ik doe dit voor jou.*

Maar dat zou betekenen dat we een eerlijk, diep gesprek zouden gaan voeren, en we weten allemaal hoe gemakkelijk ik me daarbij voelde. Dus zei ik dat ik in orde was en zij deed alsof ze me geloofde, en toen ging alles weer z'n normale gangetje.

Ha ha.

Ha.

Grapje van mij.

Er ging helemaal niets meer normaal, nóóit meer. 'Normaal' zwaaide nog net vaarwel vanaf zijn schip toen hij wegvoer de zonsondergang tegemoet – hij werd daarna nooit meer teruggezien – maar ik miste het afscheid omdat ik het te druk had met pannenkoeken eten en doen alsof alles in orde was.

Hoofdstuk 19

Het geluid van een dichtslaand portier voor de deur kreeg me sneller uit bed dan je 'De pizza is klaar!' kon zeggen.

Ik wankelde versuft de kamer rond. Hoe laat was het? Ik was na ons gesprekje alleen maar even naar boven gelopen om een tukje te doen. Maar een plakkerig gevoel in mijn ogen en een niet bepaald fris mondgevoel gaven me het verontrustende idee dat ik toch wel iets langer had geslapen.

'Mam?' riep ik.

Een stevige windvlaag blies langs het huis alsof die antwoord wilde geven. Ik liep met snelle passen naar het raam. Haar roestige bruine auto stond niet op zijn gebruikelijke plekje voor het huis. Wat betekende dat ze naar Chillz was vertrokken. Wat betekende…

...dat het maandagochtend was. Ik had de hele zondagmiddag en -avond liggen slapen. Ik sloeg met een hand tegen mijn voorhoofd. Wat mankéérde mij toch? *Wat is er met mijn motivatie gebeurd?*

Ik wierp mezelf een kwade blik toe in mijn slaapkamerspiegel. En meteen had ik weer iets om me druk over te maken.

Ik zag er *vreemd* uit. Mijn cheddarkleurige haar, dat normaal gesproken zo steil en netjes was, stond overeind in allerlei gekke bochten, alsof ik met mijn vingers in een stopcontact had gezeten. Mijn sproeten leken groter dan normaal, mijn huid was rood en heel eventjes had ik kunnen zweren dat ik de huid vlak langs mijn haargrens... zag bobbelen?

Ik had echt veel te lang geslapen, het had mijn verbeelding helemaal in de war gebracht. Met een droge mond van de paniek toen ik besefte hoe laat het was rende ik mijn kamer rond om allerlei vieze delen van mijn schooluniform van de grond te rapen en aan te trekken.

Dat was niet echt de briljante manier waarop ik deze week had willen beginnen nadat ik de Zonderlinge Zaadjes op mijn hoofd had gezaaid. Ze hadden me beloofd mijn wensen te vervullen. Maar tot nu toe hadden ze me alleen maar een ernstig geval van vogelverschrikkerhaar bezorgd en had ik alwéér geen tijd gehad om mijn kleren te strijken.

Ik sjokte de trap af en stopte brood in het broodrooster.

De wind loeide. Mijn verwarde gedachten werden onderbroken toen er op de voordeur werd geklopt.

'Hallo.' Neena grijnsde. 'Ben je klaar voor weer een hele week feitjes stampen?'

Ik keek haar behoedzaam aan en nam haar in me op. Het goede nieuws was dat Neena's wenkbrauw al aardig was genezen en dat ze zo te zien geen nieuwe delen van haar gezicht had opgeblazen dit weekend. Maar in de categorie Toch Nog Een Beetje Beter Je Best Doen droeg ze twee niet bij elkaar passende sokken, zat er een ketchupvlek op haar schooltrui en in haar haar zaten, merkwaardig genoeg, stukjes popcorn.

Neena zag dat ik haar van top tot teen bekeek. 'Ik ben pas tien minuten geleden uit bed gekomen,' gaf ze toe. 'Ik had weinig tijd om er nog iets van te maken.'

Wat een grappig toeval dat we ons die ochtend allebei hadden verslapen.

'Kom op, meisjes,' riep mevrouw Gupta, die moest schreeuwen om door de loeiende wind heen gehoord te worden. 'En wees voorzichtig! Er staat een stevige storm!'

Ik deed de voordeur achter me dicht. Wat die storm betrof had ze gelijk. Het was net alsof we dwars door pizzadeeg wandelden – het voelde elastisch en het ging moeizaam. Bij elke stap vooruit werden we er twee naar achteren geblazen.

Alsof dat nog niet erg genoeg was, werd ik verblind door mijn haar. Ik had niet genoeg tijd gehad om het in een staart te binden (tot mijn enorme schrik realiseerde ik me dat ik er gewoon geen zin in had gehad om dat te doen), en de wind blies het nu alle kanten op, als een superenthousiaste kapper die een nieuwe föhn wil testen. Hele groepen leerlingen renden langs ons terwijl ons haar heen en weer wapperde in de wind, en ik had toch even het zorgwekkende idee dat er iets kleins en zwarts uit mijn haar vandaan was gevlogen en op het hoofd van een ander kind dat langsrende was geland.

O, fijn. Ik had nog niet genoeg aan mijn hoofd, of zo? Nu had ik ook nog hoofdluis.

Toen haar moeder onderweg een vriendin tegenkwam, gebaarde Neena met haar hoofd dat we achter hen moesten lopen, zodat we ongestoord konden praten.

'Voel jij je anders?' vroeg ze, haar ogen stralend van nieuwsgierigheid. 'Ik bedoel, sinds we die Zonderlinge Zaadjes hebben gezaaid?'

Ik schudde mijn hoofd. 'Nee, niet echt. Alhoewel... Ik heb dit weekend wel heel veel geslapen.'

'Ik ook!' zei ze tegen de wind in. 'Ik kon maar niet uit bed komen. Maar toen kwamen er vrienden van mijn broer langs en die bleven maar schreeuwen tegen hun stomme computerspelletje, dus ben ik naar de bioscoop gegaan – het was de donkerste plek die ik kon bedenken – en daar heb ik dwars door drie vertoningen van *Supersnelle Auto's en Mensen die met Geweren Schieten* deel 5 geslapen. Toen ik wakker werd, lag ik op de grond!'

Dat verklaarde de popcorn in haar haar. Maar er bleven genoeg vragen over. 'Waarom?' vroeg ik verward.

Neena haalde haar schouders op. 'Omdat het een baggerslechte film is?'

'Nee,' drong ik aan. 'Waarom waren we allebéí zo slaperig dit weekend? En waarom wilden we het zo graag donker hebben om ons heen?' Ik begon te lachen. 'Denk je dat we in vampiers zijn veranderd?'

Neena staarde me een ogenblik aan en zei toen: 'Wiebelende waterstofmoleculen! Bloem, dit is de eerste keer dit schooljaar dat je een grapje maakt! Voel je je wel goed?'

Ik trok een wenkbrauw op en deed een poging tot een Transsylvanisch accent. 'Iek zou me sjtoeken beterr voelen aals ik jouw bloed kon drienken.'

'Ik vind het fijn om je grapjes te horen maken,' zei Neena, die strak naar de grond staarde. 'Het past wel bij je.'

'Maarr niet zo goe-oed als main hoektanden,' zei ik meteen.

We lagen dubbel van het lachen en ik voelde een vreemde luchtigheid in mijn borst, samen met een heel ander gevoel dat diep vanbinnen naar boven borrelde – een soort onbevangen roekeloosheid, een energie die ik niet herkende en niet in de hand had.

Het was *afgrijselijk*. Ik voelde me net een van Neena's bubbelende testbuisjes vlak voor het ging ontploffen.

We hadden het schoolhek bereikt. Nadat mevrouw Gupta weinig succesvol had geprobeerd de droge popcorn uit Neena's haar te plukken, zette ze zich schrap tegen de wind en liep weer weg.

Enkele ogenblikken later was de glimlach van ons gezicht verdwenen.

Vlak voor ons bevond zich een groot, gapend gat op de plek waar het speelveld ooit was geweest. De zijkanten waren nogal ruw uitgestoken, alsof een kwade reuzenmier een hap uit de grond had genomen. Naast het gat stonden twee felgele graafmachines met VALENTINI BOUW op de zijkant.

Er begon een spier in Neena's wang te trekken. 'Ze laten er letterlijk geen gras over groeien, hè?' Ze schopte tegen een kluitje.

Ik probeerde haar op te vrolijken. 'Wat zei de vampier tegen de dokter? Volgens mij heb ik bloedarmoede; ik heb al dagen niks gegeten!'

Ze zei niets.

Ik trok voorzichtig aan haar arm om haar weg te halen bij het gat en de gravers, en ik liet mijn Transsylvanische accent ook voor wat het was. 'Het heeft geen zin om hier stennis over te schoppen. Die examenzaal komt er toch wel, wat je ook doet.'

Ze schonk me een verbijsterde blik, klemde haar kaken op elkaar en liep stampvoetend weg.

Terwijl ik achter haar aan liep, kon ik alleen maar hopen dat de Zonderlinge Zaadjes zeer binnenkort hun werk zouden doen. Haar houding kon die oppepper nu echt goed gebruiken.

Hoofdstuk 20

Als je Neena wilde kalmeren, ging er eigenlijk niets boven een fijn, ingewikkeld wiskundig probleem, dus ik was blij dat juffrouw Zonnedauw ons bij de eerste les een werkblad gaf om te maken.

Ik pakte het op en las: *Als je zwembad vijfentwintig meter lang is, tien meter diep en vijftien meter breed, hoeveel kubieke meter water heb je dan nodig om het zwembad vol te krijgen?*

Maar dat kwam op mij ongeveer even logisch over als: 'Als rabarber, zinloos, hypothetisch en bloemkool, hoeveel prullaria heb je dan nodig om dingdong te krijgen?'

Ik krabde op mijn hoofd. Ik bekeek de vraag nog een keer. De woorden zwommen maar wat rond voor mijn ogen. Wie boeide dit nou? Konden we niet gewoon gaan zwemmen? In het echt?

Ik had er nog nooit eerder in gezwommen, maar nu verlangde ik naar een rivier die de hele dag door rustig kabbelde, en waar zonlicht op de natte stenen danste.

Het enige stromende water dat we hier in Betondeugd hadden liep door de regenwaterafvoer waar we elke dag overheen moesten om bij school te komen, maar opeens bekroop me een hardnekkig gevoel dat er wel degelijk ooit een prachtige rivier was geweest. In gedachten kon ik hem bijna zien.

Die hebben ze van me afgepakt, sprak de krassende vrouwenstem in mijn hoofd zomaar opeens. *Die hebben ze van mij en van jou afgepakt. Van ons allemaal.*

Haar stem bezorgde me een rilling. Ik slikte en snakte ineens naar een slok water. Misschien had mijn moeder gelijk en had ik inderdaad een virus te pakken.

Ik keek opzij naar Neena. 'Al dat gedoe over zwembaden en water,' fluisterde ze, haar gezicht vertrokken in een pijnlijke grimas. 'Nu wil ik niets liever dan water drinken.'

Ik wilde net knikken, maar opeens werd ik te bang om iets anders te kunnen doen dan naar haar staren. 'Neena, wat is er met je gezicht aan de hand?'

De huid boven aan haar voorhoofd was opeens zo gerimpeld als een oude walnoot. De plooien kropen langzaam verder omlaag over haar gezicht. Eerst was het alleen het bovenste randje van haar voorhoofd, maar opeens begon haar hele gezicht te rimpelen en verschrompelen. Het was net alsof haar ingewanden iets uit haar zogen en er slechts een uitgedroogd omhulsel overbleef.

Toen pas zag ik dat zij met grote, angstige ogen naar mij keek.

'Je ziet er afschuwelijk uit,' wist ze piepend uit te brengen.

Nu was het mijn beurt om mijn wangen en voorhoofd met trillende vingers te betasten. Mijn huid voelde droog en ruw, en er zaten zulke diepe plooien in dat je er een potlood in kon klemmen. En dat was nog niet het ergste: ik had het gevoel dat mijn hersens mee verschrompelden.

'Ik voel me niet zo lekker,' kreunde Neena, en ze liet haar hoofd op de tafel zakken.

Haar ogen werden dof en vervolgens sloot ze ze. Een diepe zucht leek helemaal uit haar tenen te komen toen hij uit haar mond glipte alsof het haar laatste beetje adem was.

'Neena,' fluisterde ik met lippen die gebarsten voelden, met een dikke tong die nutteloos in mijn mond bleef liggen. 'Neena! Word wakker!'

Haar mond ging iets open. Ik hield mijn gerimpelde hoofd dichter bij het hare en dacht dat ik haar één woord hoorde zeggen. 'Water.'

Ja! Dat blauwe spul. Dat was wat we nodig hadden. Mijn

verschrompelde erwtenbrein ratelde rond in mijn schedel van alle moeite die het kostte om na te denken. Ik probeerde mijn arm op te tillen, zodat ik om toestemming kon vragen om op te staan. Maar het voelde zo zwaar, alsof ik een vrachtwagen probeerde op te tillen met maar één vinger.

Ik keek naar Neena, die over de tafel dweilde, en wist dat ik niet kon wachten tot mijn stem weer normaal deed of tot ik weer kracht in mijn armen voelde. Er was geen tijd te verliezen. *We sterven van de dorst.*

Ik dwong mijn bibberende benen rechtop te gaan staan, slofte naar het waterkarretje en pakte de eerste twee flesjes die ik zag met handen die helemaal knokig en rimpelig waren geworden.

Snel dook ik terug achter onze tafel, draaide het waterflesje open en tikte ermee tegen Neena's wang.

'Hier, neem een slok,' zei ik dwingend.

Met trillende, wanhopige handen draaide ik het dopje van het tweede flesje en nam zelf een lange, grote teug. De huid op mijn gezicht zwol op, alsof het leven terugkeerde in mijn cellen.

Enkele ogenblikken later had Neena haar hoofd van tafel weten te tillen en een paar slokken genomen. Geschrokken bruine ogen boorden zich in de mijne.

'Dank je,' hijgde ze.

'Graag gedaan,' antwoordde ik bevend.

We wisselden een verbijsterde blik met elkaar.

'Oké, kinderen, lever allemaal je werkblad in,' sprak juffrouw Zonnedauw.

Terwijl onze klasgenootjes opstonden, maakte Chrissie gebruik van de herrie om langs ons tafeltje te lopen. 'Jullie mogen wel wat vochtinbrengende crème gaan halen. Je huid is helemaal schilferig.'

'Bedankt voor je schoonheidsadvies,' zei Neena vriendelijk. 'Ik zal deze tip bewaren bij al die andere behulpzame suggesties.'

'O, bewaar je ze echt?' vroeg Bella gretig. 'Ik loop er al heel lang over te denken om dat ook te doen...'

'O ja, hoor, ik heb een heel speciaal plekje voor Chrissies nuttige tips gevonden. In een groot, rond ding van metaal dat normaal gesproken ergens in de hoek van een kamer staat.'

Bella keek haar niet-begrijpend aan.

Ineens begon het te regenen.

Hoofdstuk 21

Met een strak gezicht betrad meneer Grittelsnert het podium in de aula. Achter hem stonden grote, grijze borden opgesteld. Het leken wel grafstenen.

Hij schraapte zijn keel. 'We zijn inmiddels een week bezig met de zoektocht naar de enige echte Kweekvijver-Ster,' zei hij. 'Hoog tijd voor een tussenstand dus. Als je het goed gedaan hebt, verdien je de bewondering van de hele school. Dit is je kans om met één teen in de schijnwerpers te staan.'

De regen roffelde ondertussen neer op de betongrond buiten.

Meneer Grittelsnert verhief zijn stem wat meer. 'Maar als je geen enkel Pluspunt verdiend hebt, dan zal iedereen dat nu ook weten. Je zult je vernederd voelen. Geniet van die ervaring. Want je kunt pas goed worden door te weten hoe het is om je in het openbaar te moeten schamen.'

Enkele kinderen lieten het hoofd hangen. De stilte drukte zwaar op ons. Die voelde ineens nogal verstikkend, zelfs. *Zo veel kinderen onder één dak die geen enkel geluid maken.* Zelfs de leraren op de rode plastic stoelen op het podium leken het te voelen en ze schoven ongemakkelijk heen en weer op hun stoel.

Mijn oren plopten. Ik voelde me heel raar.

De wind waaide. De regen viel neer. Het geluid weerkaatste over het plein, het roestige fietsenrek en de metalen afvalcontainers, en het leek bijna menselijk. Het klonk een beetje als…

Een strijdkreet. Alsof iemand me riep ten strijde te trekken. Te vechten.

WOESJ. KLABAM. **Ping!**

Meneer Grittelsnerts mond ging open en weer dicht, maar er leken geen woorden uit te komen. Het was bijna alsof ik naar hem keek op onze kapotte televisie van thuis.

Een wilde giechel borrelde in mijn keel naar boven. Ineens besefte ik dat hij naar mij staarde, alsof hij wilde dat ik iets deed. Maar wat dan?

Een fractie van een seconde lang wist ik niet meer waar ik was en waarom ik daar was. Waarom zaten we met z'n allen vast in deze gigantische, stomme zaal? En wat was dat voor een gek, prikkend gevoel in mijn buik?

Neena gaf me een por. 'Bloem, hij vraagt je het podium te betreden omdat jij de klassenvertegenwoordiger van ons leerjaar bent.' Ze keek me bezorgd aan. 'Hoorde je hem niet?'

Meneer Grittelsnerts ogen puilden ongeduldig uit hun kassen.

'Ik kom al,' zei ik en ik stond op.

Toen ik naar het einde van de rij probeerde te lopen struikelde ik over Bella's voet – of had ze die uitgestoken? – en landde plat op mijn buik in het gangpad.

Meneer Grittelsnert maakte een afkeurend geluidje.

Ik krabbelde overeind, negeerde de kloppende koppijn die mijn slapen deed schudden en scharrelde het podium op.

'Eindelijk,' blafte meneer Grittelsnert. 'Zo. Nou, vertel ons dan maar eens wie er in jouw jaar al een voorsprong heeft behaald.'

Ik deed mijn mond open om iets te zeggen. Maar mijn hoofd was opeens helemaal leeg. Ik kon geen enkele naam bedenken. Mijn gedachten voelden zo doorweekt en nutteloos als een boterham die in de regen was blijven liggen.

Mmm. Regen.

'Kom op met die scores, Blom,' zei de kwaad kijkende man naast me. 'Vertel me welk kind er aan het winnen is en welk kind bezig is te verliezen.'

Wanhopig keek ik naar Neena voor hulp.

Met drukke gebaren wees ze naar een roodharig meisje op

dezelfde rij. Ik staarde naar dat meisje. *Ik ken haar. Ik weet hoe ze heet. De man die hier staat schijnt een naam te willen horen. Die geef ik hem, en dan kan ik weggaan en water gaan drinken. Want ik heb alweer heel erge dorst, wat op zich een tikkeltje verontrustend aan het worden is.*

'Crispy,' zei ik.

'Wat?' bulderde de man.

'Crispy,' zei ik wanhopig. 'Crispy. Crispy.'

'Hou je gemak,' zei de man met een wit weggetrokken gezicht en uitpuilende ogen. 'Eén keer is genoeg.'

'Crispy,' zei ik.

De zaal barstte uit in een nerveus gelach – nou ja, iedereen met uitzondering van Neena, die me bezorgd aanstaarde, en het meisje dat Crispy heette, die haar armen nu strak over elkaar had geslagen en nogal boos leek. Wat had ik verkeerd gedaan? En hoe wist ze haar haar toch zo netjes in dat model te krijgen en… O jeetje.

Ik had echt een ongelooflijke dorst.

Een klein stemmetje op de voorste rij zei: 'Wat is er met haar gezicht aan de hand?'

O nee.

Nu gebeurde het weer. Het uitdrogen, het barsten, het verschrompelen. Ik sloeg mijn handen voor mijn gezicht met gespreide vingers om geheim te houden wat er van me was geworden. Dat droge, dode gevoel spoelde door mijn hele lijf, vanaf mijn hoofd naar beneden, en ik voelde het in de richting van mijn hart kruipen. Mijn ademhaling was oppervlakkig.

Ik kan nu elk moment neervallen op dit podium en dan sta ik nooit meer op.

Door de ruimte tussen mijn vingers zag ik een meisje met witte dingetjes in haar haar dat riep: 'Bloem! Naar buiten!' En vervolgens strompelde ze naar de nooduitgang toe.

Wankel liep ik van het podium af in de richting van de dubbele deuren. We duwden en trokken en moesten zelfs kokhalzen van de inspanning. Eindelijk gingen ze open en doken we naar buiten. De regen viel als een koele omhelzing over me heen. Ik sperde mijn mond wagenwijd open en dronk ervan. Mijn hele lichaam ontspande van opluchting. De regendruppels leken mijn hoofd en gezicht te bedekken met kusjes, als een moeder die haar kind al een poosje niet meer had gezien.

'Voel je je weer wat beter?' vroeg Neena. Zij was ook van onder tot boven drijfnat en grijnsde.

Ik hield mijn armen in de lucht en deed er een dansje bij, en mijn hoofdhuid tintelde van plezier.

'Ligt het aan mij, of lijkt de regen ineens anders?' vroeg Neena.

'Anders?'

'Ja. Proef maar.'

Ik opende mijn mond opnieuw en dronk een grote slok. Ze had gelijk. Om te beginnen voelde het veel zachter, bijna fluweelzacht. En het smaakte lekker. Deze regen was zoet, rijk van smaak, met vreemde vleugjes van kalk en stenen, van geheime plekken hier ver vandaan.

'Het is net alsof ik elk spoortje kan proeven van alle mineralen die ooit deze regen hebben gevormd. Alle verschillende rivieren en meren – al die verschillende onderdelen... magnesium... kalkachtig calcium...' sprak Neena tussen grote slokken regenwater door.

Ik dronk er ook nog een grote slok van. 'En ík proef wormen en kiezelsteentjes,' zei ik opgewekt.

Toen hield de regen op.

'...al vijf minuten bezig om jullie naar binnen te roepen,' schreeuwde meneer Grittelsnert. 'Dit gedrag is absoluut schandelijk. Hoe durven jullie mij te negeren? Kom nu direct naar binnen en loop maar meteen door naar mijn kantoor.'

'O-o,' zei Neena, die het regenwater van haar lippen likte, terwijl de angst met grote, zware laarzen mijn kortstondige moment van geluk vertrapte.

Hoofdstuk 22

Een klein plasje water had zich rond mijn voeten op het tapijt van meneer Grittelsnerts kantoor gevormd. Hij staarde er een moment vol walging naar, en depte toen met een zakdoek zijn voorhoofd droog. 'In alle jaren die ik hier aan deze school verbonden ben,' sprak hij op lage toon, 'heb ik nog nooit zo'n verschrikkelijke vertoning meegemaakt.'

Ik liet mijn hoofd hangen en beet op mijn lip om niet in huilen uit te barsten. Een waterdruppel rolde langs mijn neus omlaag en landde in het plasje. Ik hoopte maar dat hij dat niet had gezien.

'En jij,' zei hij vervolgens met zware stem terwijl hij zijn hoofd naar mij draaide. 'Jij bent klassenvoorzitter. Je hoort een rolmodel te zijn. Ben je stapelgek geworden of zo? Je gedraagt je vreemd op het podium, slaat volkomen wartaal uit en rent vervolgens naar buiten de stromende regen in om...' Zijn wangen leken bol te staan van woorden die hem deden walgen, alsof hij een stofzuiger was die iets smerigs had opgezogen. '...een beetje te gaan dansen en springen in de regen? Lachend verziek je je schooluniform. Je gedraagt je absoluut ongepast. En wie heeft jou toestemming gegeven om naar buiten te gaan en te doen waar je zin in hebt? Wie? Wíé?'

Heel eventjes zoemde en sputterde het in mijn hoofd met het geluid van een miljoen minidingetjes die het antwoord uitschreeuwden. *Wij! Dat waren wij!*

Ik sloot mijn ogen en deed mijn best om de stemmen – of wat ze ook waren – te onderdrukken.

'Niemand, meneer,' fluisterde ik.

'Daar heb je helemaal gelijk in, Blom. Niemand.'

Maar de miljoen ministemmetjes in mijn hoofd wilden maar niet ophouden.

Jij bent niets waard, een schelm, een schavuit!

Als wij eenmaal groot zijn, kijk dan maar uit!

'Meisjes, wat is ons schoolmotto?' vroeg het schoolhoofd.

'*Geef gehoor aan gehoorzaamheid. Laat je vormen door gelijkvormigheid. Voorschriften en regels voor altijd*,' fluisterde ik, terwijl Neena niets zei.

Gelukkig leek meneer Grittelsnert Neena's stilzwijgen niet op te merken, want hij staarde met een trotse glimlach naar het plafond. 'Gehoorzaamheid. Gelijkvormigheid. Regels. Prachtige, rechtschapen dingen. Ze bestaan om jullie in de gewenste vorm te krijgen en je voor te bereiden op de wereld daarbuiten.' Hij wapperde met een arm in de richting van het grote, modderige gat vlak buiten zijn kantoor. 'Maar jullie twee zijn niet in vorm. Jullie zijn vormeloze smurrie. Gelijkvormigheid heeft jullie niet gevormd. Je geeft geen gehoor aan gehoorzaamheid. En als jullie je niet onderwerpen aan deze hogere machten, zullen jullie er *nooit* bij horen. *Hier niet, nergens.*'

Ik staarde naar het plasje op het tapijt. Het liefst was ik erin gedoken en verdronken. Ik voelde me net een afgekeurde Chillz-pizza die net van de lopende band was geduwd omdat hij niet goed was gemaakt.

Hij liep terug naar zijn bureau en ging met een luide plof zitten.

'Jullie zijn allebei geschorst voor de rest van de dag. Ga naar huis. Zorg dat je opdroogt. Kom morgen maar weer terug. *En doe dan normaal.*'

We draaiden ons om te vertrekken en onze schoenen sopten op het vloerkleed. Ik bibberde nog van deze terechtwijzing, maar toch werd ik overspoeld door opluchting. Meneer Grittelsnert was nog steeds aan het praten, maar ik kon alleen maar denken dat ik een hoop geluk had gehad – eerder naar huis gestuurd worden viel nog wel mee als straf, eigenlijk, als je bedenkt dat hij ons ook een…

'Eén Minpunt. Voor allebei,' zei hij zacht. 'O, en Akkerman, bij dezen ben je ontheven van je functie als klassenvoorzitter. Het is overduidelijk dat je die taak niet aankunt. Ik heb een betere vervanger klaarstaan.'

Mijn hart zakte omlaag tot in mijn schoenen, zwaarder dan een scheepsanker. Hoe bedoelde hij dat, *ontheven van mijn functie*? Er zou een last van mijn schouders moeten vallen met een taak minder, maar zo voelde het niet. Ik voelde me verschrikkelijk. En wat had hij nou als laatste gezegd? Iets over een vervanger?

'Maar... wie dan?'

Hij staarde naar een puntenslijpergadget die op zijn bureau stond. Hij had de vorm van een gele graafmachine.

Nee!

'Doe de deur netjes achter je dicht als je weggaat,' zei meneer Grittelsnert.

We mochten niet eens meer terugkeren naar ons lokaal om onze tassen op te halen.

'Ik wil niet dat jullie gesnik een afleiding vormt voor je klasgenoten,' had meneer Grittelsnert gezegd. 'Loop maar meteen door naar de administratie en wacht daar tot jullie ouders je komen ophalen.'

Ik was doorweekt van de regen en ik voelde me afgrijselijk. Ik had geen zin om te praten. Maar Neena wurmde heen en weer op haar stoel en mompelde dingen als 'Ja, natuurlijk!' en 'Dat ik dat niet eerder begreep!' voor zich uit.

Uiteindelijk draaide ze zich naar me toe en haar gezicht straalde. 'Denk jij wat ik denk?'

'Dat betwijfel ik,' zei ik met een snuf.

'Onze symptomen zijn het antwoord!' Ze stak een hand op en begon een opsomming te maken met behulp van haar vingers. 'Gisteren konden we niet wakker blijven. We wilden op een donkere plek zijn. Vandaag hadden we steeds dorst en voelden we ons pas beter toen we water dronken. Hoe denk je dat het komt dat we ons zo vreemd voelen, Bloem?'

'Voedselvergiftiging?'

'Nee!' zei ze, en ze sprong overeind en maakte een dansje voor mijn neus. 'Het zijn de Zonderlinge Zaadjes! Ze werken echt!'

Een vlaag van withete woede raasde door mijn lichaam en spoelde alle andere emoties weg. Ik voelde me belazerd. Het konden de Zonderlinge Zaadjes niet zijn. Die zouden me geven wat ik echt nodig had, het was niet de bedoeling dat ze mijn gezicht veranderden in een verschrompelde walnoot en me lieten dansen in de regen.

'Het zijn niet de zaadjes,' zei ik vastberaden. 'We zijn gewoon ziek aan het worden, dat is alles. We moeten uitrusten. Morgen zijn we vast weer normaal.'

Het geluid van de graafmachines die grote happen namen

van de aarde brulde dwars door het raam heen naar binnen.

Neena luisterde er een poosje ernstig naar en wendde zich toen weer tot mij. ‘En dat zou dan goed nieuws moeten zijn, zeker?’

Hoofdstuk 23

Toen ze me tien minuten later kwam ophalen zag mijn moeder er bleek en vermoeid uit.

'Ik ben zo snel gekomen als ik kon,' stamelde ze tegen mevrouw Pruim. 'Het kostte aardig wat moeite om halverwege mijn dienst weg te kunnen – mijn baas was niet erg onder de indruk, kan ik u zeggen. Was het echt nodig om Bloem naar huis te sturen vanwege een beetje enthousiasme om de regen?'

'Jazeker.' Mevrouw Pruim knikte en haar getoupeerde kapsel bewoog langzaam op en neer terwijl ze haar lippen tuitte alsof ze niet wilde laten merken dat ze hiervan genoot. 'Het was zeer verstorend gedrag. Dat wordt hier simpelweg niet getolereerd. Niet zolang er ook nog andere kinderen zijn aan wie we moeten denken. Waar zouden we zijn als alle kinderen maar buiten gingen dansen wanneer ze daar zin in hadden?'

'Kom,' zei mijn moeder met een zucht. 'We gaan naar huis.'

'Drink dit maar,' zei ze toen we weer thuis waren in Huize Welgemoed en ze een beker thee voor me neerzette. 'Vertel me wat er gebeurd is.'

We zaten in de zitkamer en luisterden naar de zachte regendruppels die tegen het raam tikten. De thee brandde in mijn keel, maar wist me wel te kalmeren.

'Ik kan het niet zo goed uitleggen. Ik was in de aula voor de bijeenkomst toen ik opeens heel erge dorst kreeg… en ik ben naar buiten gelopen, de regen in. En daar heb ik min of meer een dansje gedaan.'

'Wauw,' zei ze zacht. 'Dat heb ik niet meer gedaan sinds ik klein was. Vertel me eens hoe dat voelde.'

Dit ging niet helemaal goed. Ik wilde dat ze me een standje zou geven zoals volwassenen dat horen te doen, dan kon ik weer verder met mijn leven. Ik wilde niet dat ze droevig voor zich uit staarde en alles nog ingewikkelder maakte.

'Nou ja, op dat moment voelde het heerlijk. Het voelde *fantastisch*.' Een glimlach kroop over mijn gezicht toen ik eraan terugdacht. 'Het smaakte ook zo lekker, en het wist te voorkomen dat ik doodging.'

Mijn moeder keek me fronsend aan.

'Van verveling,' voegde ik er snel aan toe. 'Maar daar gaat het niet om, hè, mam? Ik heb mijn kans om deze wedstrijd te winnen nu wel heel erg verpest.'

Haar mondhoeken dropen omlaag, net zoals de kussens van de bank dat deden, en ik voelde me nog schuldiger. *Deze vakantie betekent zo veel voor haar, dat zie ik gewoon. En nu heb ik haar teleurgesteld.* Ik had haar gedwongen te vertrekken van het werk waar ze zo van hield alleen maar om mij op te halen. Bovendien was ik mijn button als klassenvertegenwoordiger kwijt én had ik een Minpunt verdiend – en dat allemaal in één dag tijd! Waarom ging ze dan niet tegen me tekeer?

'Bloem,' zei mijn moeder zacht. 'Luister, schat, het gaat me niet om...'

Haar mobieltje rinkelde.

Ze staarde naar het scherm en fronste.

'O, geweldig,' zei ze. 'Het is mijn baas. Ik ben zo terug.'

Ze nam op en liep naar de hoek van de kamer, waar ze haar stem liet zakken, zoals ze altijd deed wanneer mevrouw Molensteen belde, alsof ze twee schakels waren in een spelletje doorfluisteren, maar dan via de telefoon.

Ik staarde uit het raam naar de regendruppels die op de stoep plensden.

'Ja, ik zal de uren uiteraard inhalen... Ik kan er niets aan doen dat ik een alleenstaande ouder ben... Noodgeval op school... Als u erop staat... Lager uurloon? Ja, natuurlijk, als u dat zo wilt. Dag.'

Mama drukte op een knopje van haar telefoon en staarde zuchtend naar haar scherm. Ze was zo stil dat mijn gedachten aan de wandel gingen.

Ik liep naar de keuken, pakte wat chips en probeerde een strategie te bedenken om alles weer goed te maken.

Ik had geen tijd voor dit emotioneel verwarrende gesprek om uit te pluizen waarom ik eerder naar huis was gestuurd. Ik kon er veel beter voor zorgen dat ik weer in een beter daglicht kwam te staan bij meneer Grittelsnert. Mijn gesprekje met mama moest maar wachten. Ze leek toch al genoeg aan haar hoofd te hebben als ik haar zo ineengedoken op de bank zag zitten.

'Ik ga eventjes naar boven,' zei ik.

'Oké, lieverd,' zei ze met een brede glimlach, maar daar trapte ik niet in.

Haar stem klonk zo kaal en kleurloos als een pizzabodem zonder toppings erop. En ook al deed ze heel goed haar best om zich in te houden, het was me duidelijk dat ze woedend was vanwege mijn gedrag op school.

Ja, zeg, ik heb toch ook nooit beweerd dat ik Sherlock Holmes ben?

Hoofdstuk 24

Een paar uur later zag mijn slaapkamer eruit alsof ik een sneeuwbalgevecht met mezelf had gehouden.

Ik had besloten maar eens aan mijn huiswerk te beginnen. Meneer Grittclsnert had elk kind op school de opdracht gegeven een opstel te schrijven, met als onderwerp: 'Waarom ik de Kweekvijver-Ster ben'. Normaal gesproken zou ik dit in mijn slaap hebben kunnen schrijven. Maar het vlotte nu voor geen meter.

'Aaargh!' riep ik gefrustreerd uit, en ik scheurde poging nummer vijftig om iets zinnigs op papier te zetten uit mijn schrift. De verfrommelde prop gooide ik door de kamer, en hij kwam bij alle andere verprutste proppen terecht.

Elke keer dat ik mijn pen op papier zette, dan weigerde de

zin die ik wilde schrijven eruit te komen. In plaats daarvan verscheen er een of andere onbeleefd, ondeugend schrijfsel dat uit het niets leek te komen.

Maar wel in mijn handschrift.

Wanhopig pakte ik het dichtstbijzijnde velletje papier op dat ik al eerder had weggegooid. Ik had willen schrijven: *Ik verdien deze prijs, want ik ben braaf, gehoorzaam en bevlogen.* Maar in plaats daarvan had ik geschreven: *Ik zou graag willen dat u zich even omdraait, zodat ik u met etenswaren kan bekogelen.*

Ik slikte en las mijn recentste poging. Ik had geprobeerd te schrijven: *Zoals u weet, ben ik altijd aanwezig, netjes op tijd, en is mijn huiswerk altijd af.* Maar mijn tot nu toe zo betrouwbare balpen had geweigerd me te gehoorzamen en had in plaats daarvan met drukke, lelijke letters de volgende woorden genoteerd: *Zoals u weet, verdienen pestkoppen met lange neusharen straf.*

Tranen van frustratie biggelden over mijn wangen. Dit kon ik zo niet inleveren. Dit kwam nooit meer goed.

Die Zonderlinge Zaadjes hadden me beloofd te geven wat ik echt wilde bereiken. Wanneer begonnen ze daar eens mee, en hielden ze op met mijn tijd verdoen? Over tijd gesproken… Ik wierp een vlugge blik op de klok. Het was vijf uur 's middags, maar het was zo stil in huis dat het net zo goed middernacht had kunnen zijn.

Voorzichtig duwde ik mijn slaapkamerdeur open. Ik hoorde niets anders dan een zacht gesnurk beneden.

Ik liep zachtjes de trap af. Mijn moeder zat ineengedoken aan de keukentafel, waar ze in slaap was gevallen. Haar piekerige, blonde haar lag op een notitieboekje. Ik keek over haar schouder. Een van haar vingers, met een afgekloven nagel, rustte vlak onder een zin die ze had geschreven: *Muffins tegen melancholie.*

De zure smaak van citroenig schuldgevoel verspreidde zich door mijn mond. Als ik niet naar huis was gestuurd, zou zij haar geluk nu niet in muffins zoeken. Tussen haar wenkbrauwen zaten diepe fronslijnen die zelfs in haar slaap niet verdwenen. Ik stak een hand uit om ze glad te strijken.

Maar toen mijn vingertoppen haar schouder raakten, kreeg de hele keuken een soort dromerige sfeer. Het licht werd zacht en begon te glinsteren. Buiten schraapten de takken van de wilgenboom koortsachtig over het beton. *KRAAK. KRAAK.*

Er gaat weer iets tegen me aan kletsen, dacht ik huiverend.

En alsof het daarop gewacht had, begon er een gezang in mijn hoofd.

Hoera voor Bloem Zaailing en het begin van nieuwe tijden.

Hoera voor Bloem Zaailing, zij zal ons helpen verspreiden.

Op een of andere manier wist ik, zonder dat iemand me hielp, dat dit het geluid was van de Zonderlinge Zaadjes.

Er borrelde een wild kakellachje op in mijn keel en mijn vingers wiebelden in de lucht.

Mijn moeder sliep gewoon door.

Een nieuw lot – niets is te zot. Wij zullen je verblijden.

Maar het envelopje was toch leeg? Of niet? Ik had alle zaadjes toch al gebruikt voor Neena en mezelf? Nou ja, het kon geen kwaad om dat te controleren.

Ik rende naar boven, wierp me op mijn matras en trok het envelopje uit zijn schuilplaats vandaan.

Het zat vol. Helemaal vol.

Ik staarde er een poosje naar en vroeg me af hoe een leeg envelopje zich spontaan had weten te vullen, tot het brandende gevoel in mijn vingertoppen het me onmogelijk maakte nog na te denken.

Ik rende de trap weer af en goot het hele zakje leeg over mama's zwarte haarwortels. De tinteling in mijn vingers verdween weer. Haar korte, blonde haar gloeide een ogenblik, alsof het door een onzichtbare, brandende lucifer was aangestoken, en vervolgens verdwenen de zaadjes alsof haar hoofdhuid ze had opgeslokt.

Mijn moeder sliep gewoon door.

Hoofdstuk 25

Vergeef me deze korte onderbreking. Ik wil je een paar korte vragen stellen over je gezondheid. Niks om je zorgen over te maken, hoor! Dit is routine, gebeurt zo vaak!

Dus... hoe voel je je?

Heb je de afgelopen dagen toevallig last gehad van een van deze symptomen, zoals... nou... dat je bijvoorbeeld wilt slapen in een donkere kamer, of moeite hebt om je dorst te lessen?

Zo ja, dan moet je dit doen.

Eh...

Nou...

Wacht. Momentje...

Sorry. Ik weet het ook niet. Ik heb geen advies voor je. Geen tips. Je kunt er niks tegen doen.

Je kunt er letterlijk niets anders tegen doen dan doorlezen. Dan weet je in elk geval wat je te wachten staat.

Maar goed, de volgende dag zaten we dus weer op school. Daar ging het van kwaad tot erger.

Het begon met mijn nek.

We hadden onze boeken opengeslagen voor de aardrijkskundeles. Ik probeerde een alinea over het een of ander te lezen, maar mijn nek begon ineens heel andere dingen te doen. In plaats van naar voren buigen, strekte hij zich naar achteren tot mijn gezicht helemaal naar boven gekeerd was. Ik merkte dat ik recht omhoogkeek naar het dakraam midden in het plafond van ons klaslokaal.

Ik probeerde mijn hoofd weer stilletjes rechtop te krijgen en boog het naar het boek toe. *Zeg, ik ben hier de baas.*

Mijn nek bewoog langzaam weer achterover, op een manier die duidelijk leek te willen zeggen: *Laat me niet lachen.*

En zo zat ik dus weer naar de donkere aanslag op het dakraam te staren.

'Is er daarboven soms iets interessants te zien, Bloem?' mompelde juffrouw Zonnedauw.

'Ik heb kramp,' fluisterde ik.

Neena bewees me een dienst door juffrouw Zonnedauw

en alle anderen vervolgens af te leiden van mijn nek door zelf ook buitensporige dingen te doen. Ze schoof haar stoel naar achteren en ging midden in het gangpad staan, met gestrekte benen en een rechte rug. Ook zij staarde omhoog naar het dakraam, met een afwezige blik in haar ogen alsof ze zich het kookpunt van vloeibare stikstof probeerde te herinneren.

'Meisjes,' zei juffrouw Zonnedauw nu wat luider. 'Kom op, het is weer genoeg geweest. Bloem, ogen in je boek. Neena, ga weer op je plek zitten.'

Ik verstrengelde mijn handen, drukte ze samen tegen mijn achterhoofd en duwde uit alle macht. Na een paar moeizame seconden bewoog mijn nek weer in de richting van mijn boek.

Aha! dacht ik triomfantelijk.

Maar tot mijn afgrijzen voelde ik mijn nek weer naar achteren buigen. Opnieuw legde ik mijn handen tegen mijn achterhoofd en duwde ik het terug naar het boek. Ik hield ze maar zo, voor het geval die nek nog meer wilde ideeën kreeg.

Ik probeerde nonchalant en zorgeloos te glimlachen. In een poging iets uit te stralen als: *Dit is allemaal helemaal normaal, hoor, er valt hier niets te zien.*

Chrissie en Bella grinnikten.

Pijnscheuten sneden op en neer door mijn armen. Mijn glimlach werd steeds geforceerder.

Ik wierp een zijdelingse blik op Neena. Ze stond nog steeds rechtop en haar lichaam schommelde langzaam heen en weer.

'Ga zitten, Neena,' zei juffrouw Zonnedauw. Het huilen stond haar nader dan het lachen, zo te horen.

Dat kon ik haar niet kwalijk nemen – ik had zelf ook in tranen willen uitbarsten. Mijn beste vriendin draaide door en mijn nek leek ook vreemde kuren te hebben.

'Ik kan niet gaan zitten,' zei Neena met een stem zo zacht als gesmolten boter. 'Ik wil me uitrekken, het licht voelen.'

'Ga zitten, Neena,' siste ik haar toe. 'Beheers je.'

Juffrouw Zonnedauw en ik zuchtten beiden van opluchting toen Neena haar benen boog.

Maar ze haalde haar schouders op alsof ze er ook niets aan kon doen, sprong boven op onze tafel en bleef daar staan, genietend van het zwakke licht dat door het dakraam naar binnen scheen. Ze sloot haar ogen en slaakte een diepe zucht.

'Ik denk dat ik liever hier blijf staan, als u dat goedvindt,' zei Neena dromerig. 'Heerlijk en warm. Fijn voor de fotosynthese.'

Onze klasgenoten deden niet langer alsof ze gewoon doorwerkten maar staarden naar Neena, hun mond wagenwijd open alsof het kikkers waren.

Mijn nek begon weer te prikken. Maar ik wilde niet naar het licht toe; ik wilde niets te maken hebben met dat beschimmelde glas en de dode bladeren die erbovenop lagen. Ik wilde gewoon hier blijven zitten waar ik zat en helemaal normaal zijn en... O.

Dat was vreemd.

Wat zag die straal zonlicht die door dat dakraam naar binnen viel er prettig uit!

Sterker nog, hoe langer ik ernaar tuurde, hoe voller en goudkleuriger hij werd. Hij zag er zo warm en heerlijk uit als een bad vol gesmolten chocola. Waar zat ik met mijn hoofd toen ik dacht dat het maar een vies dakraam was? Dit was de poort naar gelukzaligheid!

De bovenkant van mijn hoofd begon te tintelen, alsof er allemaal kleine kippenvelbubbeltjes op mijn hoofdhuid ontstonden. Het leek wel alsof het niet kon wachten om *dichter bij dat licht* te komen.

'Neena, kom van die tafel af,' zei juffrouw Zonnedauw ellendig.

Neena draaide haar hoofd alleen maar naar rechts en naar links, als iemand die beide kanten even bruin wil laten worden tijdens het zonnebaden.

Het kippenvel op mijn hoofd was pijnlijk. Als je het koud hebt, trek je een trui aan. Maar wat moet je doen als je kippenvel op je hoofd krijgt?

Zoek het zonlicht, zoek het zonlicht, zeiden een miljoen stemmetjes in mijn hoofd.

Er hing nu een gespannen, geladen stilte in het klaslokaal. Iedereen keek van Neena naar mij naar juffrouw Zonnedauw en wachtte af wat er ging gebeuren.

Met beide handen hield ik me vast aan de tafel, vastberaden om op mijn stoel te blijven zitten. Zweetdruppels verschenen op mijn voorhoofd.

Ik kon me niet langer verzetten. Na nog een paar extra seconden vol ellende schoof ik mijn stoel naar achteren en ik sprong boven op de tafel. Die wiebelde even, maar wist mijn gewicht te houden.

Iemand begon te lachen. Maar dat kon me niks schelen.

Ik boog mijn hoofd. Het licht spoelde over me heen, zacht en teder, en elk haarzakje van mijn hoofd leek het op te slurpen. Een paar tellen later pulseerde een diepe, heerlijke hitte rond in mijn hersens, die uitstraalde naar mijn gezicht. Ik rilde van geluk en alle andere gedachten verdwenen.

Hoofdstuk 26

Er waren vijf minuten en een hele hoop gesmeek van juffrouw Zonnedauw voor nodig om ons zover te krijgen dat we van die tafel af kwamen en weer gingen zitten.

'U bent wel erg soft tegen hen, juffrouw Zonnedauw,' zei Chrissie, terwijl ze over haar klassenvertegenwoordigersbutton aaide en mij een grijns toewierp. 'Stuur ze naar huis. In de Kweekvijver-eed staat duidelijk: "*We spelen niet onder lestijd*".'

Juffrouw Zonnedauw slikte en deed net alsof ze haar niet had gehoord.

'Ruggengraatloos, dat is haar probleem,' mopperde Chrissie.

Opeens klonk er een oorverdovend gekrijs, en iedereen keek naar mij.

'Wat is er nú weer, Sneubloem?' zei Chrissie op afkeurende toon. Haar frustratie was van haar hoekige gezicht af te lezen. 'Heb je nog niet genoeg aandacht gehad voor één dag?'

'Ik dacht dat ik werd gestoken door een bij.' Ik wreef zo subtiel mogelijk over mijn prikkende hoofdhuid.

'Gaat het wel?' vroeg Neena fluisterend.

'Weet ik niet,' stamelde ik, verward en vol schaamte.

Bijen staken toch alleen als je op ze ging zitten of zoiets? En waarom had ik dan niets horen zoemen voordat ik werd gestoken?

Ik wreef opnieuw over mijn hoofd, en tot mijn ontsteltenis merkte ik dat het kippenvel dat ik eerder nog had gevoeld nu in grotere bobbels was veranderd. Ze zaten over mijn hele hoofd verspreid, als een soort uitslag.

'AAAAAHH!' gilde Neena, die druk over haar hoofd begon te wrijven. 'Ik ben ook gestoken!'

'O, tóé nou,' zei juffrouw Zonnedauw op de paniekerige, wanhopige toon van een vrouw die er bijna doorheen zat.

Terwijl Neena rondhupte en over haar hoofd wreef, werd ik weer gestoken. Ik hield mijn handen op mijn hoofd en dook ineen, maar ondanks een paniekerige blik door het lokaal kon ik nergens bijen ontdekken.

Misschien waren ze wel onzichtbaar.

Onzichtbare bijen?

En waarom moesten ze dan alleen Neena en mij hebben? Alle anderen leken ongedeerd.

Door alle pijn heen hoorde ik een klein, weifelachtig stemmetje in mijn hoofd.

De meeste insectenbeten voelden, voor zover ik me kon herinneren, alsof iets van plan was zich een weg naar bínnen te prikken.

Maar dit voelde veel meer alsof er iets bezig was naar búíten te duwen.

En niet maar één iets. Heel véél.

Het voelde alsof er een miljoen kleine breinaalden dwars door mijn hoofdhuid heen naar buiten wilden. Ik wilde mijn schedel opensplijten om maar van de pijn af te zijn. Ik haalde mijn vingers door mijn haar en kromp ineen bij de grootte van de zwellingen. Het waren nu echt behoorlijke bulten geworden.

Chrissie maakte een geluid alsof ze moest kokhalzen. 'Bijen? Ammehoela! Volgens mij heb je vlooien.' Ze verhief haar stem. 'Juffrouw Zonnedauw, Neena en Bloem vormen een gevaar voor onze gezondheid. Ze zitten helemaal onder de parasieten. Moet u ze dan niet naar huis sturen?'

Ik liet mijn hoofd hangen uit schaamte.

TRRIIING!

De schoolbel schalde door de lucht en verbrak de spanning.

Het gezicht van juffrouw Zonnedauw klaarde meteen op, zo opgelucht was ze. 'Jullie kunnen gaan,' kreunde ze. 'Dan kruip ik even weg in een stil hoekje om te huilen – ik bedoel, een kopje thee te drinken.'

Zodra ze het lokaal had verlaten barstte de hele klas los.

'Gaat het wel een beetje met je?' vroeg Elka, die wel dichterbij leek te willen komen, maar die bezorgd om zich heen bleef kijken.

'Kan ik iets voor je halen?' mompelde Robbie.

'Je mag wel wat eczeemzalf van me lenen.' Bram bloosde. 'Misschien helpt dat tegen de beten.'

Alleen Chrissie keek ons kwaad aan, waardoor haar hoekige gezicht er nog puntiger uitzag dan normaal. 'Wat een belachelijke tactiek om de aandacht te trekken.'

'Ja, tiktak,' zei Bella bestraffend.

'Bloem,' beet Neena me toe terwijl ze mijn hand vastpakte. 'Kom mee naar de wc's. We moeten praten. Nu.'

Toen we zeker wisten dat we alleen waren gingen we bij de wastafels staan en we keken elkaar aan.

'Geloof je me dan nu eindelijk?' vroeg Neena.

'Geloof ik wat?' vroeg ik niet-begrijpend.

'Geloof je wat ik je probeerde te vertellen gisteren, vlak voor we naar huis gestuurd werden?'

Ik staarde haar aan.

'Toe nou, denk even na.'

Eindelijk begreep ik haar. 'Dit zijn niet de Zonderlinge

Zaadjes… dat kán niet!' Ik legde snel uit wat ik bedoelde. 'Voordat ik ze op ons hoofd zaaide, hoorde ik een vrouw die… tegen me zong. En die *stem* zei dat de Zonderlinge Zaadjes me zouden helpen met wat ik echt wil bereiken, met wat ik nodig heb. Al komt dat min of meer op hetzelfde neer. Dus dit kan niks met die zaadjes te maken hebben!'

Maar mijn briljante redenering leek Neena weinig te doen. Zij staarde alleen maar naar mijn voorhoofd en hapte ineens naar lucht.

Mijn vingers schoten omhoog en raakten iets zachts, met kleine, fijne haartjes. Ik begreep het niet, dus keek ik naar mezelf in de spiegel.

Ik had geen huid meer op mijn voorhoofd. In plaats daarvan zat er mos. Donkergroen en zacht. Mijn voorhoofd was helemaal bedekt. Helemaal tot aan mijn wenkbrauwen. In feite had ik een klein voortuintje boven aan mijn gezicht.

Dát was nog eens een nieuwe look.

Maar het werd nog erger.

Ineens stak een klein groen stengeltje uit mijn hoofdhuid.

En er kwam er nog eentje bij.

En nog een.

En nog een stuk of honderd.

Ze schoten omhoog en krulden hun uiteinden open alsof het kleine vlaggetjes waren die werden onthuld.

Die pijnlijke bulten op mijn hoofd waren kleine, groene steeltjes geweest die op het punt stonden om uit te lopen.

Ik hapte naar lucht toen die steeltjes langer en langer werden en zich uitrekten naar het plafond van de meisjes-wc's. Toen ze ongeveer zo groot waren als mijn vinger, hielden ze op met groeien. Vanuit de top van de steeltjes ontvouwden zich kleine blauwe bloemetjes. En rode bloemetjes. Ze sloegen hun knopjes trots open en wuifden vervolgens heen en weer in de lucht alsof ze elkaar gedag zeiden.

'Zorg dat dit ophoudt!' zei ik met smekende stem, en ondertussen schoten mijn handen over mijn hele hoofd in een poging die bloemen weer plat te krijgen.

Maar Neena stond er alleen maar bij te kijken, hijgend en met een blik alsof ze het liefst wilde applaudisseren.

Binnen enkele seconden was mijn hele hoofd bedekt. Ik zag eruit als een speldenkussen vol bloemen.

Ik greep een handvol bloemen vast en probeerde ze uit te trekken, maar ook al trok ik zo hard dat mijn ogen ervan begonnen te tranen, de bloemen bleven stevig in mijn huid geworteld.

Toen ik vol afgrijzen naar mijn spiegelbeeld keek, zag ik dat de laatste paar plukken van mijn haar van kleur verschoten. Ze gingen van cheddargeel naar...

...groen.

'*Je hebt gras als haar*.' Neena klonk verrukt.

Het meisje in de spiegel groeide en vergroeide alleen maar door. Mijn wenkbrauwen veranderden in korte steeltjes met madeliefjes. Mijn oogleden werden kleine rode blaadjes en er barstten lichtpaarse minibloempjes open op mijn neus.

Ik kreunde in shock toen mijn vingers langzaam over mijn gezicht naar boven kropen om te voelen en te betasten, maar op het allerlaatste moment trok ik mijn handen weg. Ik moest er niet aan denken om het aan te raken.

'Knallende katalysatoren,' zei Neena, en haar mond zakte open. 'Je ziet er echt fanta–'

Ze hield midden in het woord op en greep haar hoofdhuid vast. Haar ogen werden groot.

'Mijn beurt,' zei ze, en het leek even alsof er een glimlachje over haar gezicht gleed.

Nu was het mijn beurt om te staren. De afgelopen paar minuten was Neena's zwarte haar naar achteren weggetrokken, en was er op de lege plek een compleet moestuintje opgekomen, met rijen rode tomaten en kleine krielaardappels. Neena stak een hand omhoog, plukte een tomaatje van haar hoofd en stopte het in haar mond.

Ze staarde kauwend naar zichzelf in de spiegel terwijl ik luid kreunde en de wastafel vastgreep. 'We zitten nu echt zo ongelooflijk in de nesten.'

'Hier, neem een tomaatje,' zei Neena. 'Ze zijn heel lekker.'

'Hoe kun je hier zo kalm onder blijven?' schreeuwde ik. 'Onze hoofden zijn gemuteerd! Ben je dan niet overstuur? Ben je niet in de war? Wil je niet weten waarom dit ons overkomt?'

Neena keek me strak, maar vriendelijk aan. 'O, Bloem, dat zeg ik toch al de hele tijd?' zei ze. 'Het zijn de zaadjes, dommie. Ze zijn eindelijk uitgekomen.'

Hoofdstuk 27

'Ga maar na. We weten allebei niet erg veel over tuinieren, maar we weten wel dat planten water en zonlicht nodig hebben om te groeien, toch?'

Ik knikte ellendig en de bloemen boven op mijn hoofd bewogen op en neer.

Neena keek er grijnzend naar, maar toen ze mijn gezichtsuitdrukking zag hield ze zich in. 'Sorry. Maar goed, nadat je die zaadjes had gezaaid, wilden we dolgraag in het donker zijn, weet je nog? Dat waren waarschijnlijk de zaadjes die wilden… Hoe noemde Sid dat ook alweer? Ontkiemen? En nadat we die donkere plek eenmaal hadden gevonden en hadden geslapen, weet je nog hoe dorstig we toen waren?'

Ik kreunde toen ik terugdacht aan hoe we in de regen hadden gedanst.

'Dat moeten dan de zaadjes zijn geweest die water nodig hadden om te groeien. En vanmorgen, weet je nog wat we voelden bij dat rare, oude raam in het dak? Waardoor denk je dat dat kwam?' Neena sprak geduldig, maar vastberaden.

'De zaadjes hadden zonlicht nodig?' opperde ik met tegenzin.

'Tien punten! Dit komt allemaal door die zaadjes, Bloem. Het is geen virus!' Neena greep mijn armen vast en haar ogen straalden. 'Dit is het perfecte resultaat van ons experiment!'

Ik moest toegeven dat Neena gelijk had. Maar in dat geval...

Die stem. Die stem had tegen me gelogen.

Ik fronste mijn... mijn madeliefjes en dacht aan wat ik in Neena's schuur had gehoord.

Tranen van geluk zullen spoedig stromen. Verspreid de zaadjes, zorg dat ze uitkomen! Tranen, ja. Van geluk? Nou, nee.

Wat had de stem nog meer gezegd?

Je moet nu diep in je hartje kijken om te beseffen wat je echt wilt bereiken. Denk daaraan als je je zaadjes zaait, en dat wat je nodig hebt komt je aangewaaid.

Nóg zo'n grove leugen. Ik was erin geluisd. Maar waarom?

'We moeten naar huis voordat iemand ons zo ziet,' brabbelde ik, doodsbenauwd dat iemand ons zou betrappen. 'We moeten een manier vinden om hier weer van af te komen.'

Er kroop een rups over Neena's voorhoofd. Hij draaide zijn kopje om en keek me kwaad aan. Ik probeerde niet terug te kijken.

'En we moeten hier nú wegwezen, voordat iemand ziet...'

De deur zwaaide met een klap open en Chrissies perfecte gezicht keek de ruimte rond.

'Te laat,' zei ze, en haar stem stierf weg toen ze onze hoofden zag. Ze slikte, wist zich te vermannen en rolde met haar ogen. 'Ik ben gestuurd om jullie te zoeken, aangezien jullie veel te laat zijn voor Spaans. Maar jullie mogen mooi zélf aan juffrouw Zonnedauw uitleggen waarom je ineens een verkleedpartijtje hebt in de meisjes-wc's.'

Chrissie liep voor ons uit door de gang, deed de deur van het klaslokaal open en maakte een hoofdbeweging.

Ik sloop de klas in en probeerde me zo klein mogelijk te maken, maar Neena stapte rustig naar binnen met een brede grijns op haar gezicht.

Elka hapte naar lucht en gaapte ons aan.

Bram deed zijn mond open om iets te zeggen, kleurde vuurrood en sloot zijn mond weer.

En toen begon iedereen ineens te brullen van het lachen.

Wat, uiteraard, precies gebeurde op het moment dat meneer Grittelsnert langs de Lamineermachines liep, want die Zonderlinge Zaadjes hebben een heel bijzonder gevoel voor timing.

Waarmee ik bedoel dat hun timing werkelijk niet beroerder kon.

Hoofdstuk 28

Woedend wierp hij juffrouw Zonnedauw een dreigende blik toe. 'Milly, hou je klas onder de duim.'

Toen zag hij ons.

Hij staarde naar ons. Zijn ogen werden groot. Zijn ogen puilden uit en werden zo groot dat het leek alsof hij bloeddoorlopen ballonnen in zijn oogkassen had gestopt voor een weddenschap.

'Zet die hoeden af,' beval hij dreigend.

'Het zijn geen hoeden,' antwoordde Neena.

'Zet ze nu meteen af.'

'We hebben geen hoed óp,' zei Neena nu met lage stem en een strakke blik.

'Als jullie die hoeden niet ogenblikkelijk afzetten, dan kom ik je daar wel even een handje mee helpen,' blafte hij ons toe met een stem die knetterde van razernij.

Neena geeuwde.

Hij kwam met grote passen naar haar toe en legde zijn grote handen rond Neena's moestuinhoofd. Hij trok en sjorde en kreunde, en zijn ogen puilden nog verder uit van alle inspanning, maar het enige wat hij voor elkaar kreeg was dat er aarde onder zijn vingernagels kwam te zitten. 'Waarmee hebben jullie dat vastgemaakt? Met lijm soms?'

'Nee,' zei Neena.

'Ik zal deze hoed van je hoofd krijgen, al is dat het laatste wat ik doe,' mompelde hij met een rood en bezweet gezicht. Hij klemde zijn handen rond een van de groene stengels die uit Neena's hoofd vandaan staken.

Hij tuitte zijn lippen en kneep zijn ogen bijna dicht in opperste concentratie toen hij nogmaals trok. Uiteindelijk klonk er het zacht ploppende geluid van iets wat loskwam, en de stengel bewoog al omhoog.

Neena kromp ineen, maar hield zich stil.

'Aha,' bromde meneer Grittelsnert uiterst tevreden. 'Zo komen we ergens.'

'Het klinkt inderdaad veelbelovend,' zei Neena.

'Ik zal dit voor elkaar krijgen, al moet ik dit draadje voor draadje lostrekken,' zei hij met een laatste ruk aan de stengel.

Er klonk een afgrijselijk geluid van iets wat leek te scheuren en ik sloot mijn ogen.

Een paar tellen later deed ik ze opnieuw open en zag ik dat meneer Grittelsnert een heel kleine, maar perfect gevormde wortel vasthield die aan het uiteinde van een groene stengel bungelde en onder de aarde zat. Hij keek er vol afgrijzen naar. Daarna duwde hij er met een vinger tegenaan. Meneer Grittelsnert staarde naar het veegje viezigheid dat de wortel op zijn huid achterliet en smeet hem vervolgens door het lokaal.

'Je hebt jezelf bevuild!' beet hij haar toe.

Nu kwam hij mijn kant op.

Hij wrikte en sjorde. De pijn was vreselijk, maar ik perste mijn lippen op elkaar, vastberaden om niet te gaan piepen. Na al zijn inspanning hield hij uiteindelijk slechts drie blauwe bloemblaadjes in zijn handen. Hij staarde er vol walging naar. De aderen aan de zijkant van zijn hoofd begonnen te kloppen toen zijn ogen een nieuw besef uitstraalden. 'Ze zijn echt,' sprak hij met een koele, monotone stem.

Een collectieve kreet ging als in een golfbeweging door de klas. Ik voelde dat iedereen het liefst zou opspringen om zelf te komen kijken, maar ze bleven zitten en hielden één oog angstig op het schoolhoofd gericht, wiens gezicht met de seconde roder werd.

'Hoe dúrven jullie?' brulde hij. 'Hoe durven jullie je met

zulke onvoorgeschreven, ongereguleerde hoofden op mijn school te vertonen? Ze zijn niet eens grijs! Ik voel er veel voor om jullie tien Minpunten per persoon te geven voor alleen al je uiterlijk.'

Mijn mond ging automatisch open, klaar om, zoals altijd, allerlei verontschuldigingen van mijn tong te laten rollen. Maar tot mijn grote afgrijzen schaterde er een wild, onbeheersbaar lachsalvo uit mijn keel.

Meneer Grittelsnert draaide zich om en staarde me aan, en ik klemde mijn kaken stevig op elkaar om te zorgen dat het geen tweede keer zou gebeuren.

Op dat moment gaapte juffrouw Zonnedauw. Het leek zich als een wave door de klas te verspreiden.

'Slaapjes doen,' zei Bella, vlak voordat ze zich op de grond liet zakken om onder haar tafel te gaan liggen. 'En kan iemand iets aan dat licht doen? Het is veel te fel.'

'Ja,' zei Bram, die al rood werd toen hij zijn eigen stem hoorde. 'Schakel het maar uit. Ik heb het liever donker.'

'Don-ker, don-ker, don-ker,' zongen onze klasgenoten, die zich langzaam over hun tafels vlijden en hun hoofd neerlegden.

Zelfs Chrissie geeuwde en legde haar hoofd heel sierlijk te rusten.

Meneer Grittelsnert deed zijn mond open om iets te zeggen, maar op dat moment vloog de deur van ons lokaal open.

Mevrouw Troostwijk, mevrouw Haring en meneer Verreegen van de groepen twee, vier en vijf haastten zich naar binnen. Hun gezichten stonden bezorgd. Ze zetten grote ogen op toen ze mijn verschijning en die van Neena zagen, maar binnen enkele seconden wendden ze zich weer tot ons schoolhoofd. Ze wreven zich in de handen en huiverden van angst.

'Wat?' bitste meneer Grittelsnert.

'Het gaat om... om onze leerlingen, meneer. We kunnen de kinderen niet wakker houden. Ze willen allemaal slapen.'

Hoofdstuk 29

Het uur erna was een grote, chaotische warboel waarin slapende kinderen wakker werden geschud, geschrokken leerkrachten zich in groepjes in de school verzamelden en je meneer Grittelsnert herhaaldelijk **'WAKKER WORDEN!'** hoorde brullen in elk klaslokaal waar leerlingen lagen te slapen.

Toen hij terugkeerde naar het lokaal van de Lamineermachines om ons te vertellen dat de hele school de rest van de dag de deuren sloot zodat we deze kwaal thuis van ons af konden schudden, juichte iedereen dat slaperig toe.

'Ik kruip echt meteen mijn bed in,' zei Elka terwijl ze haar jas aantrok.

‘Ik ook,’ zei Bram, die nogal versuft in het midden van het lokaal stond.

‘Jullie ouders zijn allemaal gebeld en ze zullen jullie bij het schoolhek ophalen,’ zei juffrouw Zonnedauw druk gapend. ‘Chrissie, de butler zal jou komen halen; je ouders hebben het allebei te druk. O, en Bloem, het secretariaat kan jouw moeder maar niet bereiken – niet thuis en niet in de fabriek.’

‘O, ja, dat is waar! Ik ben vanmorgen vergeten u een briefje van mijn moeder te geven. Bloems moeder volgt vandaag een training, dus Bloem gaat met mij mee naar huis. Wilde u het briefje nog even zien?’ zei Neena heel gladjes en kloppend op haar zakken, terwijl ik haar verward aankeek.

Mama had helemaal niets gezegd over een trainingsdag. Had Neena’s moestuintje haar geheugen aangetast?

Juffrouw Zonnedauw had haar ogen alweer gesloten en zat achter haar bureau te dommelen.

Neena duwde me voorzichtig in de richting van de deur. ‘Ik heb een idee. Speel nou maar mee.’

‘Oké. Eh… nou, tot morgen, juffrouw Zonnedauw! Ik ga nu dus mee naar Neena’s huis, zoals zij al zei. Hopelijk voelt u zich snel weer beter!’

Juffrouw Zonnedauw snurkte zacht bij wijze van antwoord.

Toen we ons een weg baanden door de grote groep kinderen die buiten stonden te wachten tot ze werden opgehaald, blies er een windvlaag door de massa heen die ieders haar deed golven. Ik meende dat ik kleine, zwarte dingetjes van het ene naar het andere hoofd zag overwaaien.

Maar toen ik in mijn ogen wreef en nogmaals keek, zag ik niets meer.

Ik zette me schrap voor starende blikken en proestende lachbuien wanneer de ouders en kinderen mijn hoofd en dat van Neena zagen. Maar gelukkig stonden de bezorgde ouders vooral over hun kinderen heen gebogen, waardoor we met gemak langs de menigte konden glippen. En die mensen die ons hoofd wel opmerkten, haalden hun schouders op en keken weg, alsof ze dachten dat het bij een of ander raar schoolproject hoorde en absoluut niet echt kon zijn.

En toch voelde ik me heel erg ongemakkelijk. Wat bedoelde juffrouw Zonnedauw toen ze zei dat het niemand gelukt was om mama te bereiken? Mijn moeder had haar mobieltje *altijd* in de zak van haar overall zitten, voor het geval de school haar ooit wilde bellen. Maar haar slaapkamerdeur was ook nog steeds dicht geweest toen ik het huis vanmorgen had verlaten, en die liet ze *altijd* openstaan. Wat was er aan de hand?

Alsof dat nog niet erg genoeg was, voelde ik me gek genoeg heel kwetsbaar en raar in de openlucht. Mijn ontkiemende hoofd voelde onbeschut en het tintelde. Ik voelde dat de bloemen en het gras op mijn hoofdhuid zich openden en meedeinden in het briesje toen de wind door alle stengels en sprieten en halmen danste, en dat voelde weer alsof alle zenuwuiteinden in mijn hoofd werden gekieteld.

Kortom: er waren veel te veel gewaarwordingen om ze allemaal tegelijkertijd te kunnen verwerken. Ik zuchtte wanhopig.

Neena kneep stevig in mijn hand en zei: 'Ik heb een plannetje.'

Ik voelde opluchting door me heen gaan.

'Raad eens waar we heen gaan,' zei ze.

'Naar de dokter?' vroeg ik hoopvol. 'Of naar iemand met een kettingzaag?'

Ze keek me strak aan. 'Naar Wonderlingh, natuurlijk.'

'Wat? Ons hoofd is ontploft en nu wil jij naar een tuincentrum?'

Ze knikte. 'Je had Sid beloofd het te laten zien als er iets groeide, weet je nog? En misschien weet hij wel wat dit allemaal is.'

Een kwartier later, waarin we werden nagestaard door vijf hondenuitlaters, een vader met een kinderwagen en een oud vrouwtje, voelde het best wel als een opluchting om door de onkruidtunnel heen te dringen en weer in de koele, groene schaduw vlak voor Wonderlingh te staan.

Fleur ontdekte ons als eerste. Ze kwispelde toen ze naar ons toe liep voor een begroeting.

Maar toen ze de stengels en steeltjes op ons hoofd zag bewegen, boog ze haar voorpoten en begon ze te grommen. Ik bukte me en stak mijn hand naar haar uit, maar ze deinsde naar achteren, regelrecht tegen een paar benen in een verschoten groene tuinbroek aan.

'Dus de zaadjes zijn uitgekomen,' zei Sid zacht.

Ik ging weer rechtop staan en keek hem aan. Ik had verwacht dat hij geschokt naar adem zou happen, maar tot mijn grote verbazing gebeurde er niets bijzonders. Hij keek gewoon naar onze hoofden en er gleed een vreemde mengeling van trots, angst en bedroefdheid over zijn gezicht.

Het geluid van ritselende bladeren werd luider, alsof iemand ongeduldig werd en dat duidelijk wilde maken.

Sid knikte alsof hij met zichzelf communiceerde. 'Dit vraagt om koekjes,' zei hij, en hij draaide zich abrupt om en liep terug naar binnen.

Neena en ik keken elkaar aan.

Ik haalde mijn schouders op en liep achter hem aan. Hij had ons blijkbaar iets te vertellen. En hij had koekjes.

'Deze kant op,' zei Sid, die een pad koos tot achter in de winkel.

We strompelden wat rond in het halfduister tot we aan dat licht waren gewend en volgden hem door een doolhof van donkere, vochtige opslagruimtes tot we uitkwamen in een kleine keuken. Op de planken stonden potten met groene planten die omhoogkropen en zich rond kapotte geglazuurde bekers, borden en blikken voedsel kronkelden.

'Ga zitten,' drong hij aan, wijzend naar de houten stoelen die rond de keukentafel stonden.

Fleur wandelde naar een rieten mand in de hoek en zorgde ervoor dat ze met een grote boog om ons heen stapte.

Sid scharrelde wat rond, verhitte melk in een pannetje, en ik zag dat zijn handen trilden.

Neena trok haar wenkbrauwen naar me op.

Ik deed hetzelfde met mijn madeliefjes.

Hij zette drie bekers warme chocolademelk met een zware bons neer op tafel, gevolgd door een groot bord vol dubbelkoekjes met een crèmelaagje ertussen.

Met een stem die trilde van vermoeidheid, alsof hij al veel te lang met allerlei geheimen had moeten rondlopen, zei hij: 'Het wordt tijd dat jullie de waarheid over deze plek te horen krijgen.'

Hoofdstuk 30

'Grofweg driehonderd jaar geleden,' begon Sid, 'was Betondeugd nog niet eens een stadje. Het was een en al platteland, groen en wild. Er was een rivier, een wild bos van diverse hectares, wat grasland en één klein gehucht dat Kersenbloesemvreugd heette en drie, of misschien vier huisjes telde.'

Kersenbloesemvreugd? Waar heb ik die naam eerder gehoord?

'Het behoorde allemaal toe aan mijn voorouders, de familie Wonderlingh. En hun levens zijn grotendeels vergeten, vergaan als oude bladeren en opgenomen door de aarde. Maar het verhaal van mijn bet-betovergrootmoeder, Agatha Wonderlingh, is het enige dat er nu toe doet.'

Met een trillende hand pakte hij zijn beker en nam een slok. 'De familie Wonderlingh stond altijd al bekend om haar groene vingers.'

Neena lachte.

'O, nee, ik bedoel niet dat ze buitenaardse wezens waren of zo. Nee, het is een uitdrukking. Zo noem je mensen met een speciaal talent om dingen te laten groeien. De familie Wonderlingh mag dan een eenvoudig leven hebben geleid, maar als het om de natuur ging beschikten ze werkelijk over een gave. Ze konden laten groeien en bloeien wat ze maar wilden, wanneer ze maar wilden.'

Hij staarde voor zich uit en ik wist dat hij niet naar de jampotten en dozen met ontbijtgranen op zijn planken keek. Op een of andere manier keek hij recht in zijn verleden, met een droevige blik in zijn ogen. Het was dezelfde blik die ik op mama's gezicht had gezien toen ze vertelde wanneer zij voor het laatst in de regen had gedanst. Wat wás het toch aan het verleden dat de volwassenen in mijn stadje zo weemoedig keken als ze het erover hadden? Alsof het een kapot speeltje was dat niet meer te repareren viel.

Sid zuchtte, en dat bracht me weer terug bij het hier en nu. 'De familie Wonderlingh had nooit behoefte aan die hedendaagse supermarkten en afhaalrestaurants. Ze leefden van de groenten en fruit die ze op het land lieten groeien. En daar waren ze zo goed in dat mensen zich vaak genoeg afvroegen of er magie in de grond zat, of dat de familie zelf magisch was.'

'En, was dat zo?' Ik hapte naar lucht en verslikte me bijna in mijn tweede koekje.

'Misschien,' zei Sid met een kleine glimlach op zijn gezicht. 'Of misschien was het gewoon vruchtbare aarde en wisten zij hoe ze die moesten verzorgen. Als je ergens echt van houdt, dan kun je het altijd laten floreren. Hoe dan ook, het land betekende alles voor de familie Wonderlingh. Het gaf hun alles wat ze nodig hadden. Hun kinderen hadden bomen om in te klimmen, en die bomen brachten ook schaduw in de zomer. Ze hadden een rivier om in te zwemmen. Hun huizen werden opgefleurd door bloemen en hun tafels waren overvloedig gedekt. Ze leidden een goed leven.'

Sid onderbrak zijn verhaal en nam nog een grote slok uit zijn beker.

Fleur keek ons droevig aan vanuit haar mand.

'Er was één meisje in de familie dat nog meer talent bezat voor het kweken en laten groeien van dingen dan alle andere familieleden bij elkaar. Haar naam was Agatha Wonderlingh.' Sid keek me aan en knipperde een paar keer snel. 'Jij hebt haar troffel.'

En óf ik die had. Die roestige oude troffel had de Zonderlinge Zaadjes tot leven laten komen. Er gleed een rilling langs mijn nek omlaag.

'Vanaf het moment dat de kleine Aagje kon lopen, bracht ze haar dagen door op het grasland, en ze zwom veel in de rivier. Tegen de tijd dat ze zes jaar oud was, kende ze de namen van elke bloem, plant en boom in veld en dal. Ze hield van elke vierkante centimeter van Kersenbloesemvreugd, en de plek hield ook van haar – dat zag je aan de manier waarop het weelderig en groen groeide zodra ze er was. Ze stond bol van liefde voor deze plek en hij leek haar te gehoorzamen. Als ze fruitbomen plantte, dan smaakte het fruit zoeter dan iemand ooit had geproefd. De rozen rondom haar huisje bloeiden het hele jaar door; ze verwelkten niet en gingen nooit dood. Mensen begonnen te beweren dat ze álles onmiddellijk kon laten groeien door er alleen maar naar te kijken.'

Sids stem beefde. Hij knabbelde aan een koekje en bleef een ogenblik stil. 'Toen ze volwassen was, laadde Aagje een kar vol met de dingen die ze had gekweekt. Ze nam de groenten, het fruit en de bloemen mee naar de stad om ze op de markt te verkopen. Daar trok ze de aandacht van een zakenman uit de buurt. Hij had gehoord van het magische Wonderlinghland en vroeg zich af of hij er misschien ook rijk van zou kunnen worden.'

Sid keek naar zijn beker alsof hij hem een stomp wilde verkopen. 'Maar het ging hem om rijkdom van een heel andere orde.'

Ik had Sid niet meer zo kwaad gezien sinds we die eerste keer bij Wonderlingh waren gekomen en hij met een snoeischaar in ons gezicht had gezwaaid.

Hij ademde diep in. 'Maar goed, die vent bleef haar dus maar vragen of hij haar land mocht opkopen, en zij bleef hem afwijzen. Toen hij besefte dat ze het hem nooit zou verkopen, kreeg oma Aagje het zwaar,' zei Sid, en zijn gezicht verstrakte. 'Er werd beweerd dat ze haar magie verloor. Droogtes heersten langere tijd. Een insectenplaag en diverse ziektes doodden haar gewassen, maar ze kwam er nooit achter hoe dat kon gebeuren. De grond raakte uitgeput en ziek. De vissen in de rivier stierven en alles wat op een stengel groeide verwelkte en verdorde. Zonder voedsel leden Agatha en haar kinderen honger. Uiteindelijk had ze geen andere keus dan een deal met de zakenman te sluiten. In 1845 verkocht ze Kersenbloesemvreugd aan hem – elke vierkante centimeter van haar land. En toen hij zag hoe wanhopig ze was, bleef hij de prijs maar de grond in drijven.'

Sids kaakspieren waren gespannen.

'En zelfs toen deed Aagje er alles aan om te doen wat goed was voor het land. Ze verkocht het op voorwaarde dat hij de rivier en het bos en de velden vol wilde bloemen met rust zou laten. Ze verkocht het op voorwaarde dat er altijd vruchtbare, donkere aarde zou zijn waar mensen hun groenten konden kweken, dat er grote groene grasvelden zouden zijn voor kinderen om te ontdekken. De zakenman zéí dat hij dat allemaal zou doen. Hij beloofde dat Kersenbloesemvreugd een groene stad zou worden waar bebouwing en natuur "hand in hand" gingen. Hij beloofde plechtig dat hij slechts enkele huizen zou bouwen en haar velden en de rivier met rust zou laten zodat toekomstige generaties kinderen er ook plezier van zouden hebben.'

Ik fronste. 'En waar zijn die nu dan? Waar waren al die plekken ooit? Het enige wat wij hebben is een afgetrapt speelveldje.'

'En dat ligt op een laag beton,' voegde Neena eraan toe.

Sid keek ons somber aan. 'Ze zijn er niet meer, meisjes. Hij heeft gelogen. Het was allemaal één dik pakket onzin en leugens. Hij was degene die haar land vergiftigde zodat haar gewassen niet meer wilden groeien. Dat heeft hij gedaan om haar wanhopig genoeg te maken opdat ze haar land aan hem verkocht. Hij was ook nooit van plan om Kersenbloesemvreugd groen en prachtig te houden. Geen moment. Hij heeft de naam zelfs veranderd in Betondeugd, omdat hij alle leven eruit wilde zuigen. Het enige wat van hem mocht groeien was zijn bankrekening.'

'Hij klinkt heel gemeen,' zei Neena. 'Hoe heette hij?'

Sid ademde diep in en spuugde één woord uit: 'Valentini.'

Mijn hoofd tolde. 'Maar... dat is Chrissies achternaam. Hebt u het nu over haar familie?'

Sid zuchtte. 'Ik heb geen idee wie die Chrissie is, maar ik durf te wedden dat ze familie is van de zakenman die oma Aagje heeft beduveld: Julius Valentini. Toen hij stierf was hij rijker dan ooit, en hij heeft zijn vastgoedbedrijf overgedaan aan zijn zoon, die het doorgaf aan zijn zoon, enzovoorts. Het wordt tegenwoordig geleid door Ruud Valentini, of "Bruut", zoals ik hem noem.'

'Dat is Chrissies vader! Die wil een hele bak beton over ons speelveldje bij school gaan uitstorten,' zei Neena terwijl ze mij aanstaarde.

Ik besloot mijn vingernagels te bestuderen.

'Ja, dat zou zomaar kunnen kloppen.' Sid keek kwaad voor zich uit. 'Hij wil altijd wat centen persen uit wat er van Kersenbloesemvreugd is overgebleven. Je zou kunnen zeggen dat dat zijn familietraditie is. Toen ik het financieel gezien moeilijk kreeg omdat ik geen klanten meer had, is hij daar op een of andere manier achter gekomen, en nu laat hij me niet meer met rust. Hij wil wanhopig graag het laatste stukje land kopen dat nog aan de familie Wonderlingh toebehoort. Daarom stuurt hij zijn kleerkasten – de Valentini-vuilakken – steeds om me te intimideren, zodat ik zal verkopen.'

'Ja, u dacht dat wij door hen waren gestuurd toen we hier

voor het eerst naartoe kwamen,' zei ik, en ik dacht terug aan dat moment.

'Ach, ja, mijn oude ogen hebben hun beste tijd gehad,' bromde Sid. 'En een heel lange tijd waren zij mijn enige bezoekers – tot jullie ineens verschenen, in elk geval.' Er kroop een klein glimlachje over zijn rimpels, dat zijn gezicht heel even veranderde. 'Bruut wil dit stuk land wanhopig graag in zijn bezit hebben, zodat hij er nog een winkelcentrum op kan bouwen. Maar dat laat ik niet gebeuren. Deze plek was het laatste wat oma Aagje nog probeerde te koesteren voor Kersenbloesemvreugd, vlak voordat ze stierf aan een gebroken hart.'

'Je bedoelt dat ze hier is blijven wonen?' vroeg Neena.

Sid knikte bedroefd. 'Jazeker. Ze kon het niet over haar hart verkrijgen om hier weg te gaan. Ze heeft tot het einde in haar huisje gewoond en heeft het tuincentrum opgericht als een plek om anderen te leren tuinieren. Ze probeerde de mensen te leren wat ze wist, maar niemand maalde erom. Die oplichter heeft niet alleen het land vergiftigd, maar ook de mensen tegen haar opgezet. Al heeft ze het nooit opgegeven. Bijna tot aan het einde bleef Aagje het proberen door gratis planten weg te geven, in de hoop dat de inwoners van zich zouden laten horen en tegen Valentini in opstand zouden komen. Dat gebeurde echter niet.'

Fleur jankte zacht.

‘Het brak haar hart om te zien dat al het land werd bebouwd en verstikt met asfalt en beton. Om haar geliefde bomen en grasvelden te zien verdwijnen en er fabrieken en winkels voor in de plaats te zien komen. Er was geen plek meer om te dwalen en te hangen. Er was geen groen meer over. Het verdriet maakte haar waanzinnig.’

‘Arme vrouw,’ fluisterde ik. En opeens realiseerde ik me, met een schok van herkenning, dat ik dit verhaal al eens eerder had gehoord, in een iets andere versie. De stem die ik dat weekend in Neena’s schuur in mijn hoofd hoorde, dat was Agatha geweest! Mijn hart begon sneller te kloppen en ik huiverde. Ik had een geest gehoord! *Griezelig.*

‘Neena,’ mompelde ik. ‘Ik besef net van wie de stem was die ik hoorde bij jou in de schuur.’

Ze trok haar wenkbrauwen op. ‘Van wie dan?’ Ze zette grote ogen op.

‘Van Agatha.’ Mijn hersens maakten overuren in een poging zich alles te herinneren. ‘Ze zei iets als:

Hij sprak mooie woorden, keek me recht in de ogen,
toch waren al zijn beloftes gelogen.
Nu ben ik dood, en lang moest ik zwijgen,
maar met deze zaden zal ik hem krijgen!’

‘O, wauw,’ zei Neena.

‘Toen ik haar dat hoorde zeggen, dacht ik dat ze sprak over een gebroken hart. Ik dacht dat ze in de steek was gelaten door haar ware liefde en dat ze hoopte ooit weer bij hem te kunnen zijn. Maar Agatha wilde hem niet terug – ze wilde wraak!'

Neena floot zacht.

Sids stem werd zachter. 'Tegen het einde van haar leven liep ze door het stadje en probeerde ze de mensen bollen en zaadjes te geven. Ze had dode bloemen en oude twijgjes in haar haar gevlochten. Algauw werd ze een mikpunt van spot, en daardoor waren mensen nog minder geneigd zelf hun eigen gewassen te zaaien. Ze maakten er zelfs grapjes over: "Als je gaat tuinieren word je straks net zo kierewiet als Malle Aagje."'

Hij ademde diep in en praatte in rap tempo verder, alsof hij door moest gaan voor hij niet meer durfde. 'Maar ik geloof dat al dat hoongelach ervoor gezorgd heeft dat er wel degelijk íéts is gegroeid. Iets gemeens en verbitterds. Diep vanbinnen... Vlak voor ze stief vertelde ze het haar dochter, die het doorgaf aan haar zoon, die het doorvertelde aan zijn dochter, die het haar dochter, mijn moeder, vertelde, die het weer doorgaf aan mij...' Hij glimlachte even, en er lag iets van angst in zijn blik, maar ook iets anders. 'Mijn moeder vertelde me dat Agatha op haar sterfbed had gezworen wraak te nemen op het stadje dat haar links had laten liggen. Dat ze Kersenbloesemvreugd weer zou laten opbloeien, op een verrassende manier. Ze zei iets over een zonderlinge manier van wraak… en een zakje met zaadjes. En vlak voor ze haar laatste adem uitblies klonk er een kakellachje en riep ze: "Het hangt ze boven het hoofd! Het zal ze boven het hoofd groeien! Tot ze hun hoofd er niet meer bij hebben!"'

We bleven een paar minuten stil toen het tot ons doordrong wat hij zojuist had verteld.

Woede begon met zware vuistslagen om zich heen te slaan in mijn hart. 'Dus dat wil zeggen dat deze…' Ik wapperde druk met mijn handen naar de bovenkant van mijn hoofd en dat van Neena. '…deze… díngen… een vloek zijn?' vroeg ik.

Sid knikte licht.

De woede barstte los, hevig en fel. 'Ze heeft me belazerd! Ze wilde me helemaal nooit geven wat ík wilde! Dat was een leugen, zodat ik de zaadjes zou zaaien en zij haar wraak zou krijgen!'

Ik staarde naar mijn stomme, bleke vingers die zonder het te beseffen haar geschifte wraakplannen hadden uitgevoerd.

Een luide, razende stem kronkelde uit mijn binnenste naar boven. Ik wendde me tot Sid met die stem en vroeg: 'Waarom hebt u ons dat niet vertéld? Waarom hebt u ons niet gewaarschuwd? Als u wist dat de zaadjes een vloek waren met zwarte magie, dan had u iets moeten zeggen!'

'Maar ik wist niet zéker dat jullie ze hadden,' schreeuwde

Sid terug. 'Jullie deden zo geheimzinnig toen jullie langskwamen. En ik wilde ook weer niet te veel vragen stellen, want als ik jullie bang maakte, zou ik jullie nooit meer zien. Ik kan je niet uitleggen hoe blij ik was om twee kinderen te zien die interesse hadden in tuinieren. Het voelde… alsof dit stadje eindelijk een stap in de goede richting zou kunnen zetten.'

Hij liet zijn stem zakken tot een gefluister, alsof hij zich schaamde. 'En ik was eenzaam. Als je eenzaam bent, doe je alles voor een beetje gezelschap. Zoals een deel van de waarheid achterhouden, of in elk geval pas later vertellen. Ik dacht dat als ik jullie meteen alles vertelde, dat het net zo zou gaan als met tere stekjes die veel te veel compost over zich heen krijgen… onze vriendschap zou het niet overleven.'

Een ogenblik lang waren de enige geluiden in de keuken mijn onregelmatige ademhaling en Sids gesnif aan de overkant van de tafel.

'Ik moet gaan,' zei ik abrupt.

Voordat Sid of Neena iets kon zeggen, had ik mijn stoel al weggeschoven en was ik naar de deur gerend. Mijn hart bonkte tegen mijn ribben aan.

Want ik wilde niet alleen zo veel mogelijk afstand tussen mij en Sid hebben, maar ik had me opeens nog iets heel anders gerealiseerd.

Ik snapte ineens waarom mijn moeders slaapkamerdeur die ochtend dicht was geweest.

Waarom juffrouw Zonnedauw haar vanmiddag niet had kunnen bereiken.

Ik rende door totdat ik thuis was.

Hoofdstuk 31

KLAP!

De voordeur knalde achter me dicht.

Ik rende de keuken in en riep naar mijn moeder. Maar ze was er niet. Ook niet in de zitkamer. Of in de achtertuin, die – registreerde ik vaag – weer helemaal opnieuw was bedekt met een laag beton. Waarschijnlijk was het Vinnie dan nu wel gelukt.

Ik stond hevig hijgend in de gang en hoorde ineens het geluid van zacht gesnik van boven komen. Ik sprong met twee treden tegelijk de trap op.

Ze was in haar slaapkamer en staarde naar zichzelf in de spiegel. Ze droeg haar vuile gele ochtendjas, haar ogen waren groot en haar gezicht zag er bleek uit in het donker.

'Let hier maar niet op,' zei ze met een vreemd, benepen stemmetje, wijzend naar een groen boompje dat trots uit het midden van haar kruin stak. Uit haar korte blonde haar staken diverse kleine margrietjes. 'Ik weet zeker dat het allemaal maar een droom is. Heb je trek in pannenkoeken? Hoe was het op school? Heb je trek in pannenkoeken? Hoe was het op...'

'O, mam!' zei ik en ik liet me op mijn knieën in de deuropening zakken. 'Het is geen droom. Sorry. Het...'

Het spijt me, was wat ik haar dolgraag wilde zeggen. Ik wist dat ik haar de waarheid moest vertellen, dat ik de zaadjes op haar hoofd had gezaaid omdat ik om de tuin geleid was door een wraaklustige, oude, dode vrouw die op hypnotiserende wijze in rijmende zinnen sprak die zeer overtuigend waren geweest. Ik wilde mijn hoofd op haar zachte schoot leggen en mijn ogen sluiten en haar geruststellend horen zeggen dat alles wel weer goed zou komen.

Ja, vast. Want dat zou ook echt gebeuren. Als ik haar de waarheid vertelde, zou ik alleen maar nóg een probleem vormen dat ze niet kon oplossen. *Nóg een onherstelbaar beschadigd onderdeel in dit krakkemikkige, gebroken huis.*

Dus zei ik niets, maar liet ik uit schaamte mijn hoofd hangen.

Ze kwam langzaam naar me toe en stak een hand uit om over de bloemen op mijn hoofd te aaien. 'Jij ook? Maar hoe heeft dit kunnen gebeuren?'

Ik ademde diep in en uit en zei: 'Ik weet het niet.'

Haar ogen waren vochtig. 'Dit is geen droom, hè? Het is echt. Ik ben al de hele dag hier, ik kon niet naar mijn werk. Ik was... Ik snakte gewoon naar daglicht, en dat hebben ze in de fabriek niet. De hele dag lang zitten we binnen in een ijskoude ruimte, en daar kan ik normaal gesproken op een of andere manier wel tegen, maar vandaag kon ik me er gewoon niet toe zetten om daar nog een seconde langer binnen te zijn. En ineens stond ik te dansen op het terras en was ik aan het lachen en aan het brabbelen over frisse lucht en zo, en toen kwam de pijn... Het was net alsof ik aan de binnenkant van mijn hoofd werd gestoken, en daarna groeide dit. En bij jou ook. O, Bloem! Maak je geen zorgen, ik zal een dokter bellen, dan zullen we er iets op vinden.'

Mijn moeder bleef een poosje stil en toen schoot haar hand omhoog naar haar wang. 'Wat als we ziek zijn geworden door het huis? Misschien zijn het die schimmelsporen in de badkamer... daar heb ik me altijd al zorgen om gemaakt...'

In de stilte kreunden de leidingen, snikte de kraan en gierde de wasmachine bij het centrifugeren. Alleen klonken die geluiden veel dwingender dan normaal. Luider. Er plopte een gedachte op in mijn hoofd, als een kiezelsteentje dat in een meer viel, helder en echt.

'Mam,' vroeg ik opeens haastig, 'van wie was dit huis oorspronkelijk?'

Ze richtte haar verwilderde groene ogen op me. 'Wil je nu praten over… het húís?'

Ik knikte.

Haar hand gleed naar haar oorbel en ze frunnikte er achteloos aan. 'Ik weet het niet, lieverd. Ik weet wel dat het een van de eerste huizen van de stad was – daar was de makelaar zeer trots op. Al het papierwerk ligt in de keuken, misschien staat daar ergens een naam in.'

'In dat rommellaatje?' vroeg ik.

Ze knikte verdwaasd.

Ik vloog de trap af.

Ik schudde het vergeelde plastic etui vol papieren leeg op de keukentafel. Officieel uitziende brieven, gele plakbriefjes en andere notities en aantekeningen fladderden door elkaar.

Geachte mevrouw Akkerman… Het is ons een groot genoegen u de koopbevestiging te sturen van…

Geachte mevrouw Akkerman… Bij dezen doen we u het taxatierapport toekomen van…

Ik kreunde van frustratie. Toen zag ik een brief die was geschreven op een vel dik, roomkleurig papier, met de woorden KLEINSMA & DE GROOT ADVOCATEN bovenaan. Onder de datum stond de tekst: *Betreffende de wilgenboom in de achtertuin.*

Gevonden!

Zoals u wellicht weet bevat de akte van overdracht van Huize Wilgengroet…

Huize Wilgengroet? Ons huis heette toch *Welgemoed*?

…een wettelijk geregelde bepaling die dient ter bescherming van de wilg in de achtertuin. Deze mag niet worden verwijderd, beschadigd of op andere wijze worden belemmerd in zijn groei, zoals dat in 1887 is bepaald door onze cliënte, mevrouw A. Wonderlingh, inmiddels overleden.

Daaronder stond mijn moeders handtekening in een opgewekt, groot schrift dat ik niet herkende.

Ik zat daar maar te staren naar de papieren; ik hield het bewijs in mijn hand. Geen wonder dat ik de Zonderlinge Zaadjes in de achtertuin had gevonden. Geen wonder dat het huis voelde alsof het stikte van verdriet en woede. Geen wonder dat de leidingen en de televisie en de klok mokten en kreunden. Geen wonder dat zelfs de plastic varen meedeed.

Dit was Agatha's *thuis* geweest. Dit huisje stond er al toen Kersenbloesemvreugd nog maar een verzameling van drie, vier huizen was, omringd door velden en een rivier en de wilde natuur. Ze was hier gebleven tot aan haar dood en had machteloos moeten toekijken terwijl ze de wereld kwijtraakte waar ze zo van hield.

Ik herinnerde me de afbeelding op het boek in de bibliotheek, *De vreselijke, droevige geschiedenis van Kersenbloesemvreugd*. Die foto van dat witte huisje midden in een grasveld?

Dat kwam me bekend voor omdat het *mijn eigen huis* was, al was het inmiddels grijs in plaats van wit geworden.

Het giftige effect van Agatha's leed was overal in het huis en de inrichting doorgedrongen, uur na uur, dag na dag. Julius Valentini had Kersenbloesemvreugd in 1845 gekocht... wat betekent dat het huisje al honderdvierenzeventig jaar lang Agatha's zielenleed met zich meedroeg.

Dat was een hoop leed.

Maar wat ik niet begreep was waarom het huis nog stééds kreunde en steunde. Ze had haar wraak toch?

Ik keek uit het keukenraam naar de afzichtelijke wilg en er gleed een rilling door me heen alsof er iets tot me doordrong. Die boom moest van haar zijn geweest. Zij had hem geplant, en de Zonderlinge Zaadjes bij zijn wortels begraven. Alsof mijn besef een teken was, begonnen de takken weer te ritselen. Het leek wel alsof ze me... bij zich riepen. De boom leek haast te zwaaien.

Ik bleef zitten waar ik zat. Ik ging echt niet naar die boom toe, nooit meer. Wie weet wat voor rotstreek hij een volgende keer ging uithalen. Straks veranderden mijn handen nog in takken. Nee, dank je feestelijk. Ik had mijn lesje wel geleerd. Ik ging daar de hele rest van mijn lang zal ze leven niet meer naartoe.

De koelkast bromde.

'O, hou toch je kop,' zei ik.

Hoofdstuk 32

'Voel je je ziek?'

'Nee.'

'Heb je last van scheelzien, ben je licht in je hoofd, heb je hoofdpijn of opgezette enkels?'

'Nee.'

'Kun je me je volledige naam en de naam van je school vertellen?'

'Bloem Winterlinde Akkerman, de Kweekvijver.'

Na een uur lang herhaaldelijk het nummer van de dokter kiezen en een ingesprektoon krijgen was het mijn moeder dan toch gelukt de laatste twee afspraken van die dag te maken. We waren er met de auto naartoe gegaan, en naar binnen gerend met een doek over ons hoofd, zodat de mensen niet zouden staren.

'We komen net bij de kapper vandaan,' had mama de receptioniste op luchtige toon laten weten. 'We willen niet dat het vochtig wordt.'

Uiteindelijk mochten we de spreekkamer van de huisarts in.

Drie minuten lang zei dokter Steffens geen woord en staarde ze ons alleen maar aan. Daarna herpakte ze zich voldoende om een stethoscoop tegen onze borst te zetten en met een lampje in onze oren te schijnen.

Na tien minuten afwisselend prikken en porren en een keer of honderd 'Fascinerend, fascinerend' zeggen, leunde ze met een verbijsterd gezicht naar achteren op haar stoel.

'Tja, als geen van jullie beiden zich echt zíék voelt, dan kunnen we hooguit hopen dat deze... tijdelijke begroeiing over een paar dagen weer afsterft. En zo niet, dan kan ik wat antibiotica voorschrijven die het misschien kunnen doden,' zei ze, druk tikkend op het toetsenbord van haar computer. 'Het spijt me dat ik zo zit te gapen, ik heb echt een heel rare middag gehad. Er waren heel veel kinderen die klaagden over slaperigheid. Ik heb zelf nog geen moment rust gehad...'

Ik luisterde niet meer. Het was al zo moeilijk om na te denken in deze bedompte kamer en ik begon te wiebelen, met geïrriteerde gedachten die door mijn hoofd schoten.

Waarom zaten alle ramen in deze spreekkamer dicht?

Sterker nog, waarom stond er in de hele praktijk nergens een raam open?

En waarom zag iedereen er vandaag zo ellendig en vermoeid uit? Zelfs alle volwassenen, realiseerde ik me. Mama, de receptioniste bij de wachtkamer, juffrouw Zonnedauw, Neena's ouders, en nu ook de gestreste huisarts…

Een kale man in een witte tuniek stak zijn hoofd om de deur.

'O, ja, kom maar binnen, meneer Verbakel,' zei onze dokter. 'Doe de deur maar weer zo gauw mogelijk achter je dicht, dank je.'

De man staarde zo beleefd als hij kon naar mijn moeder en mij. 'Hallo,' zei hij vriendelijk. 'Ik ben de assistent. Ik verwijder regelmatig ontstoken teennagels en splinters – deze uitwassen zullen niet heel anders zijn. Dit hebben we in een handomdraai in orde.'

Ze deden in elk geval heel hard hun best, dat moet ik toegeven. Ze probeerden het met een pincet, met een verlostang, en bonden zelfs een touwtje rond het uiteinde van de bloemen die uit mijn hoofdhuid staken en maakten de andere kant vast aan de deurkruk, waarna ze de deur dichtsmeten om te zien of dat mijn bloemen zou ontwortelen. Maar helaas.

Tegen zeven uur 's avonds, toen de stofzuiger van de schoonmakers vlak buiten de spreekkamer steeds luider werd, moesten ze zich gewonnen geven.

'Zoiets hebben we nog nooit eerder meegemaakt, lieverd,' zei de assistent.

'Het lijkt me beter dat jullie gewoon doorgaan met je normale leven tot we een succesvolle remedie hebben gevonden,' zei dokter Steffens, die haar hoofd met haar korte, zilvergrijze kapsel schuin hield. 'Houd alles zo gewoon mogelijk. Er gaat niets boven een fikse dosis routine om je weer beter te voelen, toch?'

Mama knikte langzaam.

'En u hebt hier in elk geval een verstandig kind, mevrouw Akkerman. Als iemand sterk genoeg is om met zo'n soort ziekte om te gaan, dan is het wel een rustig, stil kind dat niet in paniek raakt.'

'O, ja,' zei mijn moeder, en ze glimlachte terwijl ze over mijn hand wreef. 'Ze heeft me nog nooit problemen bezorgd. Ze is geweldig braaf en gehoorzaam.'

Ik glimlachte zwakjes.

En toen ademde ik heel diep in en...

...blies die adem langzaam uit, op een veelbetekenende, bekentenisachtige manier.

In de categorie 'Schuldbekentenissen zonder Woorden' was het een echt spectaculaire vertoning.

Helaas negeerde mijn moeder die. Maar ik wil graag even opgemerkt hebben dat ik dus wel geprobéérd heb alles op te biechten voordat de hele boel compleet in het honderd liep. Ja, als er een trofee zou zijn voor 'Poging Zonder Woorden de Waarheid te Vertellen door middel van een Diepe Zucht', dan zou ik die zo hebben gewonnen. Geen twijfel mogelijk. Kat in 't bakkie.

Hoofdstuk 33

Toen ik de volgende ochtend wakker werd, haastte ik me naar de spiegel in mijn slaapkamer.

Mossig voorhoofd: check.

Madeliefjeswenkbrauwen: check.

Een dikke bos bloemen en gras op de plek waar mijn haar ooit had gezeten: check.

Nou, dat was dus helemaal fan-tas-tisch.

Mijn spiegelbeeld maakte me zo van streek, ik wist gewoon dat ik zou gaan huilen als ik er nog langer naar bleef staren. En als ik daar eenmaal mee begon, wist ik niet of ik er nog mee kon stoppen. En dan zou ik het meisje met het grashaar zijn dat niet meer kon ophouden met huilen, en dat extra probleem kon ik missen als kiespijn. Dus maakte ik me los van de afzichtelijke verschijning, kleedde me gehaast aan en rende naar beneden.

Op het tafeltje in de gang stond een briefje tegen de stervende plastic varen geleund.

Ben naar mijn werk, met een gigantische hoed op? Wees dapper – ze zullen vast vandaag wel afsterven. Mama xxx

Neena's speciale klopje weerkaatste door de gang. Ik schuifelde naar de voordeur en deed open.

Ze tuurde me aan en hield haar hoofd scheef. 'Waarom ging je er gisteren zomaar vandoor?'

'Ik moest naar huis. Mama... ze is ook ontkiemd.'

'Wat? Waarom? Hoe kan dat nou? Je hebt die zaadjes toch alleen bij ons gezaaid?'

Ik schudde heel licht met mijn hoofd, maar ik voelde er weinig voor om na te vertellen wat er in de keuken was gebeurd, en dat ik al die stemmetjes had gehoord. Neena keek me aan met ogen vol vraagtekens, maar tot mijn grote opluchting voelde ze blijkbaar aan dat ik geen zin had om het uit te leggen.

'Oké. Nou, dankzij jouw chagrijnige bui ben ik een paar uur bezig geweest om Sid te troosten. Die voelde zich ellendig na je vertrek en bleef zich maar verontschuldigen voor zijn voorouders en voor zijn hele bestaan. Daarna ging ik naar huis, maar dat verliep niet veel beter. Toen ze mijn hoofd zagen, viel mijn moeder flauw en begon mijn vader te razen en te tieren en gaf hij mijn scheikundeset de schuld. Hij heeft zelfs...' Ze knipperde en wreef in haar ogen. 'Nee, laat maar. In elk geval heb ik de slechtste nacht van mijn leven achter de rug. Slakken bleven maar over mijn gezicht kruipen in een poging bij mijn gewassen te komen. Ik ben acht uur lang bezig geweest ze uit de buurt te houden, maar zodra ik mijn ogen sloot kwamen ze weer.'

Ik moest bijna lachen, maar opeens drong er een afschrikwekkende gedachte tot me door. 'Je hebt je ouders toch niet over de Zonderlinge Zaadjes verteld, hè? Of dat ik ze op onze hoofden heb gezaaid?'

'Natuurlijk niet,' zei Neena, en de tomaatjes op haar hoofd wiebelden een beetje toen ze haar hoofd schudde. 'Maar ik geloof ook niet dat het doorgedrongen zou zijn als ik het wel had gezegd. Kijk zelf maar.'

Ik keek langs Neena naar haar moeder, die vlak voor de deur stond. Mevrouw Gupta staarde met grote, verschrikte ogen strak naar mijn gezicht. Haar oogleden trilden één keer heel licht en schoten weer omhoog. Meteen zette ze weer grote ogen op. Haar glimlach leek net zo opgetekend als die op de hoofdjes van mijn legopoppetjes.

'Shock,' fluisterde Neena.

We liepen zwijgend naar school, vergezeld door het gestaar van voorbijgangers. Mijn geest voelde wapperiger dan een kattenluikje in een orkaan, maar dan met allerlei vragen in plaats van een hele troep angstige kittens.

Zou mama het redden op haar werk? Waarom had ze zo teleurgesteld gekeken toen dokter Steffens ons aanraadde ons aan de gebruikelijke routines te houden? En was er nog hoop dat ik de Kweekvijver-Ster zou kunnen worden en de wedstrijd zou winnen?

En wáárom stond er zo'n enorme wachtrij van leerlingen bij het fonteintje om vijf minuten voor negen 's ochtends?

Hoofdstuk 34

In ons klaslokaal verliepen de zaken die ochtend steeds verrassender.

Bella bleef over haar hoofd wrijven en vroeg of ze op een vochtige, donkere plek een tukje mocht doen.

Robbie jatte een doosje krijtjes uit de opbergkast voor handvaardigheid en at het hele doosje aan zijn tafeltje leeg. Toen alles op was, hadden zijn tanden alle kleuren van de regenboog.

Bram zat tegen het raam geplakt en staarde naar het vochtige, betonnen speelveld. Hij zuchtte diep en keek verlangend naar een oude muur alsof het een doos vol geglazuurde donuts was.

Elka bleef maar vragen of ze haar hoofd in de zandbak mocht stoppen.

Zelfs juffrouw Zonnedauw leek rusteloos. Ze leek zich er niet erg druk over te maken dat Robbie krijtjes zat te eten aan zijn tafel, of dat Bram uit het raam staarde of dat Bella met een vest over haar gezicht onder de tafel lag te kreunen. Zij keek juist de hele tijd naar een vlieg die tegen ons raam aan bleef vliegen. En likte haar lippen.

Neena leek eveneens afgeleid. Ze rommelde wat in haar rugzak en wiebelde heen en weer op haar stoel.

'Wat is er toch met jou?' vroeg ik toen de pauzebel ging.

'Ik ben op zoek naar mijn petitie om het speelveld te redden,' bekende ze. 'Ik denk dat ik het nog een keer moet proberen, dat ik moet kijken of ik vandaag meer mensen kan overhalen om te ondertekenen. Het duurt soms even voordat mensen snappen welk onrecht hun wordt aangedaan.'

'Maar de steigers staan er al. Het gras is al weg. Het is al zo goed als gebouwd, Neena. Je kunt het net zo goed opgeven,' zei ik.

'Dat heb je mis, Bloem,' zei Neena. 'De strijd is pas gestreden wanneer je dat gelooft.' Ze pakte haar klembord en rende naar de deur.

Ik bleef aan onze tafel zitten, rusteloos en ongelukkig, en trok venijnig aan de bloemen die uit mijn hoofd staken. Het vreemde gevoel dat de hele ochtend al om me heen hing – en in mijn hoofd zat – maakte me onrustig en in de war. Ik had het gevoel alsof ik, stukje bij beetje, al die dingen kwijtraakte die ik het belangrijkst vond: mijn status, mijn normaliteit, en vergeet vooral mijn haar niet. Het was alsof het leven mijn zakken had gerold met zijn vettige vingers en niets van waarde had laten zitten. Ik voelde me vies en smerig en ik schaamde me voor wat er van me was overgebleven.

Mijn oog viel op de gehoorzaamheidskaart aan de muur. Chrissie ging aan kop met één Pluspunt, en zowel Neena als ik liep achter met elk één Minpunt. Ik staarde er een poosje somber naar en voelde mijn hoop voor de toekomst verbleken alsof iemand er een fles bijtend chloor overheen had gegoten.

Ik haatte de kale plek op mijn trui waar mijn klassenvertegenwoordigersbutton ooit had gezeten. Ik haatte het te weten dat Chrissie naar Portugal zou vliegen en van míjn vakantie zou genieten. Alsof ze dat nodig had, ook. De familie Valentini had een privéjet en een vakantiehuisje in nagenoeg elk werelddeel. Het was niet eerlijk.

Al dat gedoe over Agatha en Sid en wat de Valentini's de familie Wonderlingh en Kersenbloesemvreugd hadden aangedaan in een duister, ver verleden… deed dat er nog wel toe? Het was nu eenmaal gebeurd. Het was geschiedenis. Ik kon er toch niets aan dóén.

Wat véél belangrijker was, was bedenken hoe ik weer wat kon stijgen in het aanzien van meneer Grittelsnert, en dat zou me niet lukken door nog meer tijd te verspillen met me druk maken over oude verhalen, oude mensen, oud zeer en familievetes die niets met mij te maken hadden. Ik had een reputatie op te krikken!

Ik zag Neena over het plein wandelen met haar klembord en ineens kreeg ik een ingeving.

In de oververhitte oven van mijn geest kwam er opeens een verwrongen idee naar voren, een beetje als een smerige taart.

Ik stond snel op en haastte me de klas uit.

Hoofdstuk 35

Met grote passen liep ik door de gang naar het kantoor van meneer Grittelsnert, waar ik op de deur klopte.

'Binnen,' blafte hij.

Ik duwde de deurkruk omlaag en liep zijn domein binnen.

Hij staarde me aan van achter zijn bureau en fronste zijn wenkbrauwen. 'Nog steeds last van die woekergroei op je hoofd?'

'Ja, meneer. Het spijt me, meneer.'

'Dat lijkt me meer dan terecht, Blom.'

Ik knipperde tegen de tranen.

'Wat kom je doen, meisje?'

Ik ademde diep in en dwong mezelf te spreken. 'Neena Gupta is buiten... zeprobeertdebouwvandeexamenzaaltegentehouden, meneer,' zei ik, waarna ik naar lucht hapte.

Hij kneep zijn ogen tot spleetjes, ging achterover zitten op zijn stoel en staarde me een ogenblik aan. 'Verklaar je nader.'

Ik ademde weer diep in. Ik kon nu niet meer terug. Mijn keel voelde opeens alsof ik brandnetels had ingeslikt. 'Ze probeert handtekeningen te verzamelen tegen de bouw van uw examenzaal, meneer. Ze is er nu mee bezig.'

Een afschuwelijke stilte hing in de kamer.

En toen, met een lichte zweem van zelfhaat, fluisterde ik: 'Krijg ik dan nu alstublieft een Pluspunt, meneer?'

Hij knikte en zijn zwarte ogen glinsterden. 'Dat zal ik meteen regelen,' zei hij. 'Het blijkt dat je toch niet helemaal een rotte appel bent, Blom. Je doet weer mee aan de wedstrijd. Gefeliciteerd.'

'Dank u. Gaat u... Gaat u haar straffen? Ik zou niet willen dat ze van school gestuurd wordt of iets...'

'Niet meteen,' zei meneer Grittelsnert. 'Soms vind ik het prettiger om nuttige informatie even te laten liggen tot ik weet wat ik ermee kan doen.'

Hij glimlachte, en het deed me denken aan die keer dat ik in een treintje door het spookhuis reed en er een mechanische zombie omhoogkwam die me zo liet schrikken dat ik het een beetje in mijn broek deed.

Ik stamelde opnieuw een bedankje, trok zijn deur achter me dicht en liep zo snel als ik kon de gang in.

Ik was een menselijke sneeuwschudbol geworden. Zilveren snippers glinsterende trots en ambitie tuimelden door me heen. Ze zagen er schitterend uit, maar voelden als glassplinters wanneer ze landden.

Ik schudde mijn hoofd en kwam met een ruk tot stilstand op het tapijt terwijl ik peinsde over wat ik had gedaan. Ik had gedaan wat ik moest doen. Ik was braaf geweest. Maar waarom voelde het dan zo vreselijk?

Ik duimde dat hij Neena slechts zou straffen door haar nog een Minpunt te geven, aangezien ze daar niet bepaald mee leek te zitten. Misschien zou ze het wel zien als een soort ereteken, en in dat geval had ik haar misschien wel een gunst bewezen.

Ja. Precies. Een gunst. Wat ben je toch een gul en vrijgevig iemand, Bloem.

Ik liep terug de klas in en ging stilletjes aan mijn tafel zitten wachten tot de bel zou gaan. Ik had het gevoel dat ik moest overgeven en ik kon maar niet ophouden met rillen.

Toen juffrouw Zonnedauw binnenkwam zag ik het Pluspunt in haar hand, en ik vond het lastig om haar aan te kijken.

Ze hing het naast mijn naam op de kaart, en haar 'Gefeliciteerd' klonk vreemd genoeg nogal gedempt.

Even later, kwam iedereen van buiten terug het lokaal in en ze geeuwden en rekten zich uit. Toen hun blik over de kaart gleed en ze de kartonnen ster naast mijn naam zagen hangen, voelde ik een vreemde mengeling van trots en schaamte.

Neena was de enige die me wel recht aankeek toen ze weer aan onze tafel kwam zitten. 'En hoe heb je die precies verdiend, Bloem?'

'Dat is niet belangrijk,' zei ik vlug.

'Ja, dat is het wel,' zei ze nadrukkelijk. 'Ik vind het heel belangrijk, zelfs.'

Na de lunchpauze verscheen mevrouw Pruim in de deuropening. Ik was blij met de afleiding. Haar ogen sprankelden en haar lippen waren net ingesmeerd met een vers laagje rode lippenstift.

'Ik kom met nieuws,' kondigde ze met een opgewekte stem aan.

'O?' zei juffrouw Zonnedauw.

'Er hangt een journalist van *Het Betondeugds Dagblad* rond bij het schoolhek,' zei ze. 'Hij heeft gehoord dat er in de school een vreemd virus heerst. Jullie moeten in je lokaal blijven, de school wordt bij dezen hermetisch afgesloten; het zou een ramp zijn voor onze reputatie als hij erachter komt wat er met Neena en Bloem aan de hand is.'

Mijn nek werd weer slap en flexibel, maar nu van vernedering.

'Ik ga wel even naar buiten om met hem te praten,' zei mevrouw Pruim, en ze vertrok.

Door het raam van het lokaal zag ik haar naar het schoolhek schrijden als een topmodel over de catwalk. Op een gegeven moment gooide ze zelfs haar haar over haar schouder naar achteren. Sterker nog, ze leek er alle tijd voor te nemen om deze journalist weg te sturen.

De man glimlachte en knikte bij wat het ook was dat ze tegen hem zei, maar hij ging mooi niet weg. Ik zag dat mevrouw Pruim haar hoofd achterover gooide en schaterlachte.

'Oké, kinderen, laten we ons even concentreren op onze deelsommen, ja?' zei juffrouw Zonnedauw, die werkbladen uitdeelde.

Terwijl we begonnen te lezen, klonk er ineens het geluid van gierende banden.

Een wit busje met de woorden NIEUWS & PRIMEURS was de stoep vlak voor de school op gereden. De dubbele deuren schoven open en er stapten vier opgewonden volwassenen uit met enorme camera's en grote stokken met pluizige microfoons eraan vast. Ze gingen naast de eerste journalist bij het hek staan.

De laatste volwassene die het busje uit stapte was een blonde man met een ongelooflijk strak blauw pak. Zodra hij de stoep op waggelde, kwam er een vrouw op hem af om zijn gezicht met een poedersponsje te bewerken, terwijl een tiener in een zwarte hoody hem een beker koffie aanreikte.

Vervolgens draaide het hele kluitje zich om en staarde iedereen gretig door het hek naar de school.

Hoofdstuk 36

Wij deden ondertussen allang niet meer alsof we ons nog druk maakten over de sommen en stonden met z'n allen bij het raam om te kijken wat er gebeurde. De man in het blauwe pak gorgelde met wat water.

Algauw zagen we meneer Grittelsnert naar het hek toe hollen. Hij begon met zijn armen te zwaaien en te schreeuwen.

'Doe het raam eens open,' zei juffrouw Zonnedauw op een heel nieuwe, en gek genoeg vastberaden toon, 'dan kunnen we horen wat er aan de hand is.'

Elka duwde de ramen zo ver als ze kon open.

Meneer Grittelsnerts woedende stem was nu luid en duidelijk hoorbaar. 'Jullie bevinden je op het schoolterrein, wegwezen!'

De man in het blauwe pak zei iets wat te zacht was om te verstaan, maar de glimlach bleef op zijn gezicht geplakt.

Er gleed een golf van interesse door ons groepje bij het raam. Er gebeurde iets ongebruikelijks met mevrouw Pruim. Ze was ineens aan het wankelen op het asfalt, een paar stappen bij het hek vandaan, en greep haar hoofd vast.

Meneer Grittelsnert leek het niet te merken, want die schreeuwde gewoon door tegen de man in het blauwe pak, maar de andere volwassenen uit het busje van *Nieuws & Primeurs* gaven elkaar een por. Een van de vrouwen richtte haar camera heel langzaam op mevrouw Pruim.

'Hoe bedoel je, het publieke belang?' brulde meneer Grittelsnert. 'Dit is míjn school, daar heeft het publiek helemaal niets mee te maken. Je bevindt je op verboden terrein en ik eis dat jullie vertrekken, anders zal ik...'

De kreet van mevrouw Pruim had hem waarschijnlijk bereikt, want hij hield op met praten en keek fel opzij naar zijn secretaresse, die voorover gebukt stond alsof ze vreselijk veel pijn had.

Wat ze toen riep bezorgde me ijskoude rillingen: 'Aaargh! Bijen! Hoofd! Pijn!'

Een groen struikje met felpaarse bloempjes barstte in een snel tempo uit het midden van haar hoofd. Het begon klein, maar binnen twee minuten was het al groter dan haar hele hoofd. Een wolkje witte vlinders verscheen en bleef in de lucht boven haar hoofd hangen, alsof ze werden aangetrokken door haar plant. En opeens fladderden ze in een grote massa omlaag. Binnen enkele seconden was haar hoofd bedekt met honderden glinsterende insecten. Je zag haar gezicht niet eens meer.

'Help me!'

Haar gedempte kreet, gesmoord door een dikke laag vlindervleugels, klonk wanhopig. Elke keer dat ze ze probeerde weg te wapperen, bleven de vlinders een ogenblik in de lucht hangen voor ze weer omlaag vlogen.

Buiten het schoolhek flitsten de fotocamera's.

Mevrouw Pruim strompelde wat rond, met haar armen voor haar uitgestrekt.

Een van de mannen praatte in zijn mobieltje. 'Stuur iedereen die je hebt,' riep zijn opgewonden stem. 'Dit is de primeur van de eeuw!'

De man in het blauwe pak wendde zich tot de grootste filmcamera die er was en begon te praten. Hij had een rare uitdrukking op zijn gezicht, alsof hij op eerste kerstdag de woonkamer was binnengelopen en de hele kamer vol lag met cadeaus waar zijn naam op stond.

Ondertussen waggelde mevrouw Pruim blind heen en weer. Na een ogenblik pakte meneer Grittelsnert afkeurend haar hand vast en trok haar mee terug de school in. Hij wierp haar de hele tijd zijdelingse blikken vol walging toe, en de

camera's achter hem bleven flitsen en filmen.

Opnieuw weerklonk er een ijselijke kreet. Maar nu afkomstig van de tafel achter me.

We draaiden ons om en staarden naar Bella.

Angst overspoelde me als een ijzige waterval.

Ze hield haar hoofd vast, haar voorhoofd een heel tapijt van fronslijnen, en kreunde geschrokken. 'Zorg dat het stopt! Kan iemand alsjeblieft zorgen dat dit ophoudt!' riep Bella.

Ze keek Chrissie smekend aan, maar die was blijven zitten en staarde nu vol afgrijzen naar het groepje oranje paddenstoelen dat uit Bella's blonde haar vandaan stak.

Hoe groter ze werden, hoe meer ze begonnen te stinken. Binnen vijf minuten was de geur van ongewassen voeten overweldigend en knepen we allemaal onze neus dicht.

'Jasses,' zei Chrissie uiteindelijk, met een opgetrokken neus. 'Je hebt een paddenstoelenkop.' Ze kneep haar neus dicht en schoof haar stoel verder opzij.

Bella begon te snikken.

'Technisch gezien heb je het mis, Chrissie. Het mag eruitzien als een paddenstoel, maar het is eigenlijk een champignon. Je vriendin heeft daar de *Pseudocolus fusiformis*, die vaak wordt aangeduid met "stinkzwam",' zei juffrouw Zonnedauw, die nu zelfverzekerder en alerter was dan ik haar ooit had meegemaakt.

'Ieuw,' zei Chrissie. 'Je bent een stinkzwam. Vergeet het maar, Pareldorf. Vanaf nu zoek je het maar uit in je eentje, totdat je weer normaal kunt doen. Ik kan mijn gezondheid en academische reputatie niet op het spel zetten door naast zoiets te blijven zitten. Ik ben tenslotte wel de klassenvertegenwoordiger,' zei ze, met een kwaadaardige grijns in mijn richting. Vervolgens stond ze op en wilde naar de deur lopen.

Bella keek zo zielig naar haar tafelblad dat zelfs ik medelijden met haar voelde.

'Chrissie, ga *onmiddellijk* weer op je plek zitten,' beet juffrouw Zonnedauw haar toe. Zo hard had ik haar nog nooit horen praten.

Chrissie keek verbaasd om. 'Ik ga tegen papa zeggen dat u zo tegen me snauwde,' zei ze met een stem die iets minder zelfverzekerd klonk dan anders.

'Ga je gang,' zei juffrouw Zonnedauw met een stem die me kippenvel bezorgde.

Daarna werden haar ogen groot en ze huiverde.

Het werd in onze klas ineens zo stil als op een begraafplaats om middernacht. Vol ontzag keken we toe terwijl haar springerige bruine krullen in haar hoofdhuid teruggetrokken leken te worden, om te worden vervangen door een knop van felgroene bladeren aan het uiteinde van lange, slanke slierten die uit haar hoofd kronkelden. Aan het uiteinde van elk groen blad zaten twee rijen puntige stekels. Ze leken verdacht veel op tanden.

'Wauw,' wist Neena bewonderend uit te brengen.

Juffrouw Zonnedauw stak een hand in haar tas en pakte een make-upspiegeltje tevoorschijn dat ze vlak voor haar gezicht hield. Ze glimlachte blij en liet vervolgens, met opgeheven hoofd, haar blik door de hele klas gaan. 'Ik zie dat jullie mijn venusvliegenvanger bewonderen,' zei ze met haar nieuwe, vastberaden stem. 'Is ze niet prachtig?'

Chrissies groene ogen werden nog groter. Ze keek nerveus het lokaal rond en haar hand gleed van de deurkruk af.

'Maar ze heeft enorme honger,' zei juffrouw Zonnedauw terwijl ze Chrissie aanstaarde.

In de stilte die daarop volgde, vielen me twee dingen op:

1. **Dit was de eerste keer dat ik Chrissie ooit bang had zien kijken.**
2. **Er zat een vlieg in het lokaal.**

Eerst was het gezoem vrij zwak. Toen, alsof hij werd aangetrokken door een onzichtbare kracht, landde hij op een van de felgroene bladeren die geduldig boven op juffrouw Zonnedauws hoofd wachtten. De vlieg stapte vrolijk over het wasachtige, glimmende oppervlak alsof hij een zomers wandelingetje maakte.

Juffrouw Zonnedauw zei zacht: 'O ja, mijn kleine vliegenvanger heeft heel erge honger. En ze houdt ook niet van een grote mond. Daar is ze niet zo... happig op.'

Opeens klapten de bladeren op juffrouw Zonnedauws hoofd met een klap dicht en zat de vlieg gevangen. Er klonk een misselijkmakend ge-*kronsj*. Die arme vlieg had geen schijn van kans. Algauw zagen we zijn laatste doodsstrijd binnen in de bladeren. En toen bleef het stil.

Chrissie slikte.

'Ik neem aan dat je haar niet al te boos wilt maken, meisje?' zei juffrouw Zonnedauw nu met een stem die klonk als een klimplant die iets zocht om zich omheen te kronkelen. Haar ogen glansden fel terwijl ze naar Chrissie staarde.

De venusvliegenvanger draaide zich langzaam naar Chrissie toe, alsof ze naar haar op zoek was geweest.

Met een angstkreetje holde Chrissie terug naar haar stoel naast Bella.

Er speelde een stralende glimlach rond de lippen van juffrouw Zonnedauw. Ze hield haar hoofd omhoog en haar ogen leken te glinsteren. De twee roze blosjes op haar wangen waren donkerder van kleur en de smalle, zorgelijke fronslijnen tussen haar wenkbrauwen waren verdwenen. De puntige bladeren boven op haar hoofd lieten een tevreden boertje.

Hoofdstuk 37

Neena gaf me een por in mijn ribben en keek me met grote ogen aan. ‘Dat zijn al zes mensen die zijn ontkiemd. Hoe kan dat nou?’ fluisterde ze.

‘Ik heb geen idee!’ antwoordde ik. ‘Ik heb het echt bij niemand anders gedaan dan bij ons en mijn moeder. Ik zweer het!’

Toen werd alles pas echt gestoord en griezelig.

Want in de tien minuten die daarop volgden ontkiemden ook andere hoofden. We hadden nauwelijks de tijd om ons te vergapen aan het ontspruitende hoofd van de een, of iemand anders slaakte een kreet van pijn en greep naar zijn hoofd. Het was afgrijselijk.

Aisha Aziz ontwikkelde een veldje met lange, groene stengels die minstens een halve meter hoog waren en eindigden in felpaarse bloemen. Elke keer dat ze zich bewoog, botsten ze tegen een lamp aan het plafond.

'Ooo, je hebt een *Verbena bonariensis* gekweekt,' zei juffrouw Zonnedauw, die nu een levendiger indruk maakte dan in al onze lessen ooit. 'Een prachtige overblijvende plant.'

Robbies hoofd werd bedekt door lichtroze bloemetjes die op madeliefjes leken en die als een soort kleurig tapijtje over elkaar heen hingen terwijl hij naar zijn tafel staarde alsof hij zo zou kunnen overgeven.

'Dat is een *Osteospermum*, een Spaansc margriet, Robbie. Die houden van een kalkrijke ondergrond,' riep juffrouw Zonnedauw verrukt uit.

Bij Bram kwamen er oranje en gele bloemen uit zijn hoofd.

'Muurbloemen,' zei juffrouw Zonnedauw.

Kleine grijze steentjes en heel kleine madeliefjes ontkiemden boven op Elka's hoofd.

'Een rotstuintje,' sprak juffrouw Zonnedauw bewonderend. 'Erg eenvoudig in het onderhoud.'

Bij Polly Minkel hingen er zeegroene stengels met kleine ronde bladeren die helemaal tot op haar schouders vielen.

'Een erwtenplant, een prachtige huiskamerplant,' mompelde juffrouw Zonnedauw terwijl ze de blaadjes goedkeurend aanraakte. 'Het lijkt net een groene parelketting. O, goed gedaan, leerlingen. Jullie doen het echt heel goed!'

En zo ging het maar door.

De leerlingen die nog niet waren ontkiemd doken zichtbaar uit de buurt van degenen die dat al wel hadden gedaan.

Ondertussen werden de zorgwekkende en veelzeggende geluiden van gepijnigde kreten en uitroepen uit de andere klaslokalen alleen maar luider. Het waren niet alleen leerlingen in onze klas die ontsproten – het gebeurde in de hele school.

Leraren renden in paniek door het gebouw en we vingen flarden van hun gesprekken op vanuit de gang.

'Alle kleuters staren nu uit het raam.'

'De cateringmedewerkers klagen nu allemaal over bijensteken...'

'We troffen een meisje uit groep vier aan op het dak, waar ze lag te zonnebaden!'

'...goot gewoon het vieze water van de kwasten naar binnen alsof het vruchtensap was.'

'Ik heb een hele groep kinderen die naar buiten wil, zodat ze in de modder kunnen gaan liggen.'

Het groepje mensen voor het schoolhek werd alleen maar groter. Er arriveerden nog meer cameraploegen en verslaggevers. Busjes, auto's en motoren werden lukraak op de stoep voor de school geparkeerd, blokkeerden de weg en zorgden ervoor dat andere automobilisten gefrustreerd begonnen te toeteren. Mannen en vrouwen in witte jassen met stethoscopen waren eveneens opgedoken en liepen zeer gewichtig heen en weer om met verslaggevers te praten en te roepen dat meneer Grittelsnert de kinderen moest vrijgeven voor behandeling.

Algauw werd de menigte buiten aangevuld door ouders met een wilde blik in hun ogen die schreeuwden om hun kinderen en die antwoorden eisten.

De telefoon op het bureau van juffrouw Zonnedauw rinkelde. Ze nam op, zei hallo, luisterde ongeveer twee tellen naar de blaffende stem die te horen was en legde de hoorn weer neer.

'Jullie kunnen gaan,' zei ze. 'De school is gesloten.'

We liepen het overvolle plein op. Elke keer dat er een nieuwe groep leerlingen naar buiten kwam, begonnen de verslaggevers te grijnzen, de onderzoekers te fronsen en de ouders te krijsen. Het was net alsof ze met z'n allen naar vuurwerk keken.

Er waren kinderen met varens, kinderen met lang, goudgeel gras, kinderen met kleine, sierlijke struikjes boven op het hoofd. Sommigen hadden een hoofd vol stekelige cactussen, bij anderen zoemden de bijen vrolijk tussen hun bloemen door.

Iedereen kon overduidelijk zien dat er op deze school twee soorten leerlingen zaten: kinderen met een gewoon hoofd, en kinderen met gewassen op het hoofd. De laatste groep sjokte in shock over het plein naar hun ouders toe, terwijl de normale leerlingen met een wijde boog om hen heen liepen en hun angstige, gefascineerde blikken toewierpen die zoveel wilden zeggen als: *Ben ik de volgende?* Beste vrienden liepen ver uit elkaar. Gezworen vijanden zochten elkaar juist op. De Zonderlinge Zaadjes hadden de dagelijkse orde ondersteboven en binnenstebuiten gekeerd.

Meneer Grittelsnert liep met grote stappen over het plein. Hij had een sleutelbos in zijn hand en opende het hek. De aangeslagen kinderen liepen naar buiten de mensenmassa in, voorbij de verslaggevers die probeerden hen te pakken te krijgen voor een interview en die microfoons voor hun neus hielden.

'Kun je ons vertellen hoe je je voelt?'

'Zou je je even willen draaien zodat we je hele hoofd kunnen filmen?'

'Zijn er dingen die je met onze kijkers wilt delen?'

Zo snel als de ouders de verslaggevers opzijduwden, zo snel verschenen er nieuwe in hun plaats, die op hun beurt weer opzij werden geduwd door de onderzoekers en de artsen, die staarden en betastten en vroegen of ze wat medische tests mochten doen. Een paar angstige kinderen knikten gedwee en werden ziekenwagens in begeleid, samen met hun eveneens angstige ouders, maar veel schudden het hoofd en liepen direct door naar de auto van hun ouders.

Neena en ik bleven op het plein, te verbijsterd om veel meer te doen dan toekijken.

'Dit is allemaal uw schuld,' schreeuwde een vrouw in een oranje donsjack wijzend naar meneer Grittelsnert, en vervolgens naar het kleine meisje naast haar, wier hoofd bedekt was met zilverachtige, grijsgroene kolen. 'Hoe verklaart u dit?'

Meneer Grittelsnert zag er woest uit. 'Dit heeft niets, maar dan ook niets met mij te maken,' beet hij haar toe. 'Ik ben degene die deze kinderen op het rechte pad en binnen de lijntjes houdt. Jullie, de ouders, hebben deze epidemie aangemoedigd, met jullie veel te late bedtijden en al dat geknuffel en gebrek aan discipline...'

'Het lijkt mij eerder een probleem met de hygiëne,' viel een andere ouder hen in de rede. 'U had iedereen om de vijf minuten de handen moeten laten wassen...'

'En ík denk dat het aan de catering ligt. U geeft ze blijkbaar te weinig gezond voedsel.'

'Ik heb altijd al geweten dat er hier iets vreemds in de schoolmelk zat.'

'Als mijn dochter deze ziekte ook krijgt, dan klaag ik het kind dat dit virus mee naar school genomen heeft direct aan,' schreeuwde een man in een groene oliejas. 'En ik zal elke ouder voor de rechter slepen die zijn kind niet thuis heeft gehouden en die deze vuiligheid heeft helpen verspreiden.'

'Wát?' ontplofte een woedende vrouw links van hem.

Hij haalde zijn schouders naar haar op. 'Als jouw Sjors wat het ook is dat hij heeft aan mijn Greetje doorgeeft, heb ik alle recht om je aan te klagen.'

'Ik zou er maar goed over nadenken voordat je tegen mij gaat dreigen. En bovendien, misschien kan die Greetje van je wel een keer een nieuw kapsel gebruiken – wanneer heeft zij voor het laatst haar haar geborsteld?'

'Hoe dúrf je haar op haar uiterlijk te beoordelen? Ze heeft anders wel de Blije Betondeugd Baby-wedstrijd gewonnen toen ze negen maanden oud was, als je het weten wilt.'

'O ja? Was dat het jaar waarin alle juryleden blind waren, soms?'

En zo ging het door.

Het geschreeuw werd schreeuweriger, de chagrijnige blikken chagrijniger en het vingerwijzen steeds vinniger. Jongere kinderen en baby's begonnen te huilen, er werden mensen gearresteerd en de enigen die alles nog steeds glimlachend gadesloegen waren de journalisten, die elkaar maar bleven vertellen wat een ongelooflijk verhaal dit was, en die wilden weten of er ergens in de buurt een degelijke kop mokkakoffie met magere melk te vinden was.

Mijn gedachten tolden rond in vermoeiende cirkels, terug naar het begin, door naar het einde, terug naar het begin, door naar het einde… Ik had het gevoel dat er een verklaring moest zijn voor wat er vlak voor mijn neus gebeurde, maar mijn geest was te uitgeput om die te snappen. Weer cirkelde ik terug naar het begin. Ik zag het envelopje zaden in mijn hand. Het rammelde. Ik herinnerde me dat Neena de woorden op de achterkant oplas in een raar stemmetje... *Deze zaadjes zaaien zich als vanzelf.*

Wat betekent dat? Ik weet het niet.

Maar, realiseerde ik me ineens, er was iemand die dat wél zou weten. Sterker nog, ik zag nog net de groene slierten van haar hoofd. Ik pakte Neena's hand vast en rende naar haar toe.

'Hallo, meisjes,' zei juffrouw Zonnedauw. 'Zijn jullie ouders er nog niet?'

'Nou, ik had eigenlijk een vraagje over, eh... tuinieren.' Ik liet mijn stem zakken tot ik fluisterde. 'En ik weet dat u daar een expert in bent.'

'O ja?' zei ze, en haar gezicht begon te stralen. 'Kom maar op.'

'Ik vroeg me af of u me kunt uitleggen wat het betekent als zaadjes zich als vanzelf zaaien. Dat heb ik, eh... iemand ergens horen zeggen.'

Juffrouw Zonnedauw keek me even fronsend aan, maar toen verdwenen de plooien van haar voorhoofd. 'O, maar dat is vrij eenvoudig. In feite wil dat gewoon zeggen dat de plant zichzelf verspreidt.'

'Verspreidt? Zoals een groepje agenten als ze allemaal een andere kant op gaan, op zoek naar de inbreker?'

Ze glimlachte. 'Nee, dat niet. Zelfzaaiers, zoals ze heten,

zijn planten en bloemen die hun eigen zaadjes zaaien en verspreiden, met maar heel weinig hulp van mensen. Zelfzaaiers hebben genoeg aan een vlaagje wind of iets, en dan verspreiden ze zich en komen ze overal terecht. Zo groeien er ook planten in diverse hoekjes en gaatjes waarvan we nooit hadden gedacht dat het ze zou lukken.'

Juffrouw Zonnedauw glimlachte erbij; ze had duidelijk niet door dat ze ons het slechtste nieuws ter wereld vertelde. 'Ja, dat zijn slimme rakkers, hoor, die zelfzaaiers. Wanneer ze hun eigen zaadjes verspreiden, begint een eeuwige levenscyclus. Het is net een familie, zeg maar. Heel veel generaties die zichzelf verspreiden en nooit uitsterven.'

'Nooit?' Mijn stem klonk als een gebroken gefluister. 'Dus zelfzaaiers zullen...'

'Voor altijd groeien,' zei juffrouw Zonnedauw knikkend.

Ik pakte Neena vast om overeind te blijven.

Eindelijk begreep ik de ware omvang van Agatha Wonderlinghs wraak op Betondeugd, en die was angstaanjagender dan ik me had kunnen voorstellen.

Want dit zou eeuwig duren. Ik wankelde op mijn benen en stelde me voor dat generatie na generatie aan kinderen in Betondeugd zou rondlopen met grashaar en slakken op hun gezicht.

'O, beste Bloem, je ziet er uitgeput uit. Je moet naar huis, je hoofd flink wat water te drinken geven en rusten. Ondertussen ga ik even bij de afvalbakken van de keuken staan om te zien of ik een lekker tussendoortje kan vinden voor mijn venusvliegenvanger.' Ze wandelde weg.

Neena en ik staarden naar de verzamelde mensen die nu op het parkeerterrein tegen elkaar tekeergingen.

Neena slikte. 'Dus Agatha Wonderlingh heeft een zaadje uitgevonden dat zichzelf op elk hoofd in Betondeugd zou uitzaaien?'

Ik knikte ellendig. 'Kun je je nog herinneren dat het een paar dagen geleden zo stevig waaide? Zag jij ook die kleine, zwarte dingen door de lucht vliegen? Dat waren geen hoofdluizen of stof. Dat waren de Zonderlinge Zaadjes die zich aan het verspreiden waren. En nu is het slechts een kwestie van tijd voordat iedereen in de stad besmet wordt! En als ze ontdekken wie hiermee is begonnen...'

Ik keek naar de schreeuwende menigte en slikte. Als ze nu al zo kwaad waren, hoe zouden ze dan reageren als ze erachter kwamen wie dit hun lieve schatjes had aangedaan?

Ik ademde diep in om mijn stem beheerst te laten klinken. 'Beloof me dat je het niemand vertelt.'

Neena knikte langzaam. 'Maar het is wel zonde,' zei ze toen. 'Dit is een ongelooflijke wetenschappelijke ontdekking. Dat een envelopje zaadjes dat zo lang geleden is begraven nog zulke gaven bezit...'

'Belóóf het.'

'Ik beloof het.' Ze wachtte even. 'Is dat je moeder? Wauw, wat heeft zij? Is dat een...'

'Ja,' zei ik droog. 'Dat is het.'

Ik zag mijn moeders bleke gezicht onder haar groene boom. Haar ogen doorzochten de massa naar mij en wierpen af en toe een nerveuze blik op de journalisten, die als tijgers die de lucht opsnoven op zoek naar een nieuwe prooi alweer heel rustig en stil waren geworden.

'Kom mee,' zei ik tegen Neena. 'We gaan.'

Ik wilde haar hand pakken en liep naar de menigte, al dook ik bijna onmerkbaar weg bij meneer Grittelsnert, die het hek bewaakte, in de hoop dat hij geen voelsprieten had die mijn schuldige geweten zouden opmerken.

Als een kwal in mensenvorm deinde en bewoog de menigte om me heen. Mijn ademhaling bestond uit korte, pijnlijke, hijgende bewegingen. Ik rook de geur van zweet en koffie en een rare metaalachtige stank die me achteruit deed deinzen. Ik voelde me ook gek genoeg heel beschermend ten opzichte van mijn hoofd, ook al had ik er – uiteraard – nog zo'n hekel aan. De druk van de menigte leek op me in te werken en ik verloor mijn greep op Neena's hand.

Ik hield mijn hoofd omlaag en probeerde me een weg te banen door de massa, maar struikelde over mijn schoenveter en viel. Ik zag een grote handtas en stak mijn handen ernaar uit om me aan vast te grijpen, maar de vrouw van wie hij was trok hem uit mijn buurt alsof ze er niet aan moest denken dat ik hem zou aanraken.

Ik viel op de grond. Ik zag een muur van benen en duwende voeten om me heen. Een ogenblik lang was ik heel erg bang. Misschien zou de menigte me wel gewoon vertrappen.

Weten ze soms al dat het allemaal mijn schuld is?

Toen trok iemand me overeind, en een paar ijskoude armen die vaag naar pepperoni roken wikkelden zich om me heen en hielden me stevig vast.

Mijn moeder zei: 'Het is al goed, schat. Ik heb je.'

Ik knuffelde haar even stevig terug. 'O, mam,' zei ik, maar mijn woorden werden helemaal verzwolgen door mijn gesnik.

'Sorry, mams, maar zou je dat nog een keer willen zeggen, maar dan iets harder zodat de kijkers thuis het kunnen verstaan? Het is een heel ontroerend moment,' zei de man in het blauwe pak. 'En nog even een klein ogenblikje voordat we alles doornemen, zodat mijn kleine wonderdoener je net iets fotogenieker kan maken... Ik ben helemaal vóór ruige authenticiteit, hoor, maar we doen hier alsof we nieuws maken, geen horrorfilm. Kiki? Kiki? We hebben een gevalletje "even wegplamuren" hierzo.'

'Waar heb je het over?' beet mijn moeder hem toe.

'Wallen en mee-eters,' zei de man in het blauwe pak. 'Dat komt heel veel voor op het platteland. Geeft niks, hoor. Maar we moeten ze wel even wegwerken.'

CHILI

Hoofdstuk 38

Nadat mijn moeder een paar zéér lelijke woorden naar het hoofd van de man in het blauwe pak had geslingerd en gedreigd had iets met Kiki's make-upkwastje te doen wat ik hier niet kan herhalen als we niet onmiddellijk werden losgelaten, zette ze me zo snel mogelijk in onze roestbak van een auto.

Het was een opluchting om tegen de leuning van de achterbank aan te zakken, het portier te kunnen dichttrekken en de schreeuwende menigte en de politie buiten te sluiten. De laatste die ik zag toen we langzaam wegreden was Chrissie, die vlak achter meneer Grittelsnert op het plein stond en op haar gouden horloge keek.

Ik was uitgeput, en zei dan ook niets.

Ondertussen bleven de woorden van juffrouw Zonnedauw maar door mijn hoofd spoken: *Nooit uitsterven. Voor altijd groeien.*

In de stilte van de auto begreep ik pas echt goed hoe afschuwelijk briljant Agatha Wonderlinghs wraak was op het stadje dat haar had bedrogen. Het enige wat haar zaadjes nodig hadden gehad was iemand die zo dom was om ze te zaaien.

En daar was ik dan.

De Zonderlinge Zaadjes zouden nooit meer ophouden zich te verspreiden. Wat betekende dat de hoofden van alle inwoners van dit stadje uiteindelijk zouden ontkiemen. Het begin was gemaakt, en het was slechts een kwestie van tijd tot de rest zou volgen. We waren verloren.

Ook tijdens onze rit naar huis zouden die hoofden allemaal zelf hun zaadjes uitstrooien over straat. Morgen zou er een nieuwe lichting gewashoofden ontkiemen. Dit was echt het afgrijselijkste dominospelletje ooit. In slechts dagen zouden alle inwoners van Betondeugd besmet zijn met de monsterlijkste epidemie die de wereld ooit had meegemaakt.

En wat zou er daarna gebeuren? Wat als Agatha's zwarte magie doordraafde en haar wraak niet ophield bij de grenzen van dit stadje? Wat als het van dorp naar dorp en van stad naar stad werd doorgegeven? Zou iedereen op de hele aardbol dan rondlopen met een hoofd vol kolen en rupsen?

O, en wie zou die hele aardbol daar dan de schuld van geven?

Mij. En niemand anders. Mensen zouden me op straat bespugen. Ik zou volksvijand nummer één zijn. En mijn moeder? Die zou dan volksvijand nummer twee worden, al was het maar omdat zij de pech had gehad volksvijand nummer één op de wereld te zetten.

Mijn moeder keek naar me via haar achteruitkijkspiegel. 'Hoe voel je je, lieve schat?' vroeg ze na een tijdje.

'Goed, hoor,' verzuchtte ik.

'Weet je het zeker?' vroeg ze met een bezorgde blik in haar donkergroene ogen.

'Yep. Jij?' vroeg ik, eigenlijk vooral in een wanhopige poging om van onderwerp te veranderen.

Ze haalde even diep adem en zei toen: 'Nou, ja, ik ben ontslagen.'

Terwijl we onze straat in reden probeerde ik deze nieuwste tegenslag te verwerken.

'Wat? Hoe? Waarom? Ik dacht dat je je werk fantastisch deed? Ik dacht dat ze het onmogelijk zonder jou konden redden…'

Mijn moeder parkeerde de auto en zocht in haar handtas naar haar huissleutels. 'Dat is niet helemaal waar, lieverd. Iedereen kan mijn werk doen, eerlijk gezegd. Voor mijn bazen zijn de machines onmisbaar, niet ik. Ik was gewoon een veredelde schoonmaker van verstopte buizen. Ik drukte af en toe op een knopje. Daar hoef je niet voor gestudeerd te hebben.'

We stapten uit de auto en liepen naar de voordeur.

Mijn moeder duwde hem open en ik had het vreemde gevoel dat ze me niet in de ogen durfde te kijken. 'Mevrouw Molensteen zei dat ik er door mijn boom niet professioneel genoeg uitzag, en dat het tegen de veiligheidsregels is. Ze zei dat ze de laatste tijd toch al niet meer zo tevreden was. Dat ze niet het idee had dat ik me nog voor honderdtien procent inzette voor mijn werk. Blijkbaar is het niet zo'n goed idee om in een fabriek van diepvriespizza's te blijven vragen of we geen versere ingrediënten konden gebruiken...'

We liepen ons koude halletje in.

'Maar je houdt van je werk! Ik bedoel, je hebt een naam kaartje en een coole overall en...' Mijn stem beefde toen ik mama's donkere ogen zag en haar blik niet kon ontcijferen.

'Ik red me wel,' zei ze. 'Dat beloof ik. Wil je dan nu een glas vruchtensap en iets te eten? Ik heb dit weekend brownies gemaakt, die lust je wel, toch? Ga jij maar alvast zitten, dan gaan we lekker knuffelen bij de tv.'

Ik knikte, iets opgevrolijkt door het idee van een van mama's zelfgemaakte brownies, maar opeens drong het tot me door: nu heb ik niet langer een gratis voorraad afgekeurde Chillz-pizza's.

Ik liet me op de bank ploffen en wist nog net te voorkomen dat ik werd gespietst door een uitstekend stuk veer, zette de televisie aan en stelde mezelf gerust met de gedachte dat het in elk geval niet erger kon.

Hoofdstuk 39

Ik drukte maar wat op de knoppen van de afstandsbediening en hoopte iets leuks en rustigs te vinden om te kijken. Misschien een tekenfilm of een aflevering van mama's favoriete kookprogramma, *Het kookpunt*.

Helaas leek de televisie daar anders over te denken. Op elke zender was een serieus nieuwsprogramma bezig. Ik zapte er ongeduldig langs, maar zag toen ineens een gezicht op het scherm dat ik herkende.

Het was de blonde man met de witte tanden en het blauwe pak, de man van *Nieuws & Primeurs*. Achter hem zag ik het schoolhek van de Kweekvijver. Onder in beeld rolde tekst voorbij over een rode balk: *Zorgwekkende uitbraak van hoofdplanten in klein en verder onopvallend stadje.*

Mijn moeder zette het bord met brownies neer op de koffietafel en liet zich naast me op de bank zakken. Ze pakte de afstandsbediening en zette de televisie harder.

'...spanningen lopen hoog op buiten het hek van de Kweekvijverschool in Betondeugd, waar meer vragen dan antwoorden lijken te zijn rondom de bron van deze huiveringwekkende uitbraak.' De ogen van de man fonkelden, maar zijn gezicht bleef in de plooi. 'Tot voor kort was Betondeugd een doodgewoon – zo niet slaapverwekkend – stadje dat hooguit bekendstond als geboorteplaats van de goedkoopste diepvriespizza's van Engeland.'

Mijn moeder snoof.

'Maar sinds tien uur vanochtend is dit het beroemdste stadje van het hele land. Deze plaag is de eerste van zijn soort in onze geschiedenis. Maar de mensen om me heen voelen er terecht niets voor om hun nieuwe roem te vieren. Boze inwoners die de waarheid boven tafel willen hebben staan achter mij verzameld, en nog steeds lijkt niemand te weten...'

Opeens viel de televisie stil.

Ik stond op om er een flinke klap op te geven.

'...de oorzaak van deze uitbraak is nog niet bekend, maar de minister van Volksgezondheid, Jozef Suikerbuik, heeft gelast dat alle besmette volwassenen en kinderen wegblijven van werk en school om te voorkomen dat de ziekte zich verder verspreidt.'

Ik liet mijn hoofd hangen, wetend hoe zinloos dat was.

De man ging verder: 'Zoals we weten is een van de vreemdste kenmerken van deze ziekte dat elk hoofd een ander gewas lijkt te produceren, wat het lastig gemaakt heeft deze uitbraak een naam te geven, maar er is er één die schijnbaar blijft hangen: woekerkop.'

De camera schakelde over naar borden die nu op en neer bewogen in de menigte, en waarop stond:

RED ONZE STAD!

STOP DE ZIEKTE – STOP DE WOEKERKOP!

OP EEN HOOFD HOORT HAAR! HOUD BETONDEUGD NORMAAL!

De man grijnsde. 'We zullen ter plekke live-updates geven zodra er iets gebeurt. Maar één ding is zeker: dit verhaal kan alleen maar groeien en bloeien. Ik ben Colin Klikaas, en dit was het nieuws van twee uur.'

Mama drukte op een knop van de afstandsbediening en hij verdween.

Ik was zo van streek dat ik een derde brownie pakte.

Een halfuur later werd er op de deur geklopt.

Ik rende ernaartoe om open te doen, en bleef daar een ogenblik staan, te verbaasd om iets uit te brengen. Want het was niet alleen Neena die daar stond met haar moeder en vader. Achter haar stonden ook Bram, Elka en Robbie met hun ouders.

Het hoofd van Robbies vader was bedekt met lang, goudkleurig stro, als een stel blonde manen. Hier en daar zag ik kleine muisjes verlegen naar buiten gluren.

'Mogen we binnenkomen?' vroeg hij nerveus. 'Voordat iemand ons ziet?'

'Hallo, lieverd,' zei mevrouw Gupta, die me een wat normalere glimlach schonk met een hoofd vol roze rozen. 'Ik hoorde dat jij en je moeder allebei waren ontkiemd. Ik dacht dat we maar even bij jullie moesten gaan kijken.'

'En onderweg kwamen ze ons tegen,' legde Elka uit, 'en we besloten ook mee te gaan.'

Achter Elka stond haar moeder, bij wie lange, rozerode stengels uit haar hoofd staken. 'Rabarber,' zei ze somber.

'We werden knettergek thuis,' voegde Robbie eraan toe, zenuwachtig pulkend aan zijn roze bloemen.

'Als we dan toch moeten lijden, kunnen we dat beter samen doen,' zei Bram, met zijn ogen op de grond gericht.

Er klonk een stommelend geluid vlak achter me en mama verscheen. 'Kom binnen,' zei ze met een brede glimlach. 'Ik zet meteen theewater op.'

Een paar ogenblikken later zat Huize Welgemoed ineens vol mensen, voor het eerst sinds mijn rampzalige feestje toen ik vijf werd. Ze gingen op de bank, de leunstoel en de koffietafel zitten, op de vensterbank en uiteindelijk maar op de grond.

Toen het nieuws zich verspreidde dat er bij ons thuis een praatgroep van woekerkoppatiënten was kwamen er steeds meer mensen langs: buren, kinderen van school, hun ouders en broers en zussen. Ze wurmden zich onze kleine zitkamer binnen en de ruimte vulde zich met de geuren van hun hoofden: honingzoet, een zweem rokerige zoetigheid en de muskus van hooi en rozen.

Toen we met z'n allen bij elkaar zaten, werd het even stil in de zitkamer. We keken elkaar nerveus aan en wisten niet goed wat we moesten zeggen.

Uiteindelijk veegde Robbies vader zijn gouden manen uit zijn gezicht en zei kortaf: 'Dit is een ramp.'

'**Een catastrofe**,' stemde Neena's moeder in.

'**Een vloek**,' zei Elka's moeder.

'**Een nachtmerrie**,' zei iemand anders.

En toen begon iedereen door elkaar te schreeuwen.

'Het zit in de lucht!'

'Het zit in ons bloed!'

'Het zit in het water!'

'Het is een grap!'

'Ik heb het gevoel dat ik droom!'

'Meer een nachtmerrie als je het mij vraagt!'

'We moeten hiermee naar een arts!'

'We hebben hulp nodig!'

'Operaties!'

'Overheidssteun!'

'Laten we maar beginnen iets te drinken,' zei mijn moeder vriendelijk. 'Hoe drinken jullie de thee?'

Het halfuur daarna zetten we zes potten thee met extra suiker ('Tegen de shock,' zei mijn moeder) en deelden we brownies, boterhammen met kaas en een stapeltje flensjes die mama op een of andere manier in ongeveer vijf minuten had gebakken.

Terwijl Neena en ik in de keuken bleven om het brood te smeren en kaas te snijden, hoorde ik een enkele keer een zucht van waardering door de gang gaan terwijl mama dienbladen met voedsel de zitkamer in bracht. Toen onze taak erop zat, liepen we achter haar aan om ook onze buikjes rond te eten.

De sfeer in de kamer voelde nu heel anders; het paniekerige was weg, de ouders zagen er minder bezorgd uit toen ze chocoladekruimels van hun lippen veegden en hun beker lieten bijvullen. Robbie deed zelfs zijn allerbeste imitatie van meneer Grittelsnert door met grote passen heen en weer te lopen en met uitpuilende ogen naar ieders hoofd te staren. De ouders deden hun best om niet te lachen. Het voelde bijna als een feestje – voor zover dat mogelijk is als je je midden in een traumatische epidemie bevindt, natuurlijk. En te midden van dit alles zat mama met de mensen om haar heen te kletsen. Haar wangen hadden voor het eerst in tijden weer een gezonde, stralende kleur.

Toen iedereen iets had gegeten, elkaar had gerustgesteld en had beloofd voortdurend voor elkaar klaar te staan, werden mijn slaperige klasgenoten door hun ouders meegenomen naar huis.

Neena's moeder stond voor de deur met een rare blik in haar ogen. 'Ik was vergeten hoe heerlijk jouw brownies zijn,' zei ze, en ze gaf mama een knuffel ten afscheid.

'Weet je onze plannen nog, van toen de meisjes nog baby's waren?' vroeg mama.

'Het café,' zei mevrouw Gupta, en haar gezicht begon opeens te stralen, waardoor ze er jonger uitzag. 'Waarom hebben we dat nooit gedaan, Trix?'

'Ach, je weet hoe dat gaat. We namen die tijdelijke baantjes om een beetje geld te verdienen, zodat we een startkapitaal zouden hebben, en toen… besliste het leven anders.'

Ik staarde naar de twee vrouwen en vroeg me af waarom ze weer allebei op die droevige manier zuchtten en glimlachten.

Hoofdstuk 40

Toen mijn moeder en ik de afwas hadden gedaan en naar bed waren gegaan, begon voor mij een vreemde, onrustige nacht. Ik werd geplaagd door dromen waarin kleine kinderen met mierenhopen op hun gezicht naar Neena en mij wezen en riepen: 'Jij hebt dit gedaan! Jij!' terwijl er een oude vrouw om me heen fladderde met een wraaklustige uitdrukking op haar gezicht.

Die ochtend keek ik hoopvol in de spiegel, maar dat duurde uiteraard niet heel lang, want mijn bloemen waren nog steeds aanwezig en ze tierden welig. Mijn gras zag er wel iets minder felgroen uit dan voorheen. Ik keek nog eens goed en merkte dat het gras niet het enige was wat eruitzag alsof het ergens onder te lijden had. Mijn bloemen ook. Misschien hadden ze water nodig, of zonlicht of iets.

Ik staarde er met een kwaadaardige blik naar. *Nou, dat mochten ze willen. Ik ga niet voor ze zorgen. Hoe minder aandacht ze krijgen, des te sneller verwelken ze, sterven ze af, en kan mijn leven weer zijn normale koers volgen.*

Ik liep de keuken in en zag mama, gekleed in haar vieze gele ochtendjas, ineengedoken bij de kleine radio op het aanrecht staan. Het viel me op dat de kleine blaadjes van haar hoofdboom aan de randen opgekruld waren. Ze drukte een vinger tegen haar lippen toen ze me zag en wees naar de radio.

'...met twintig nieuwe gevallen van woekerkop alleen al deze ochtend, ziet het ernaar uit dat deze angstaanjagende nieuwe epidemie niet snel in de kiem te smoren is,' sprak een ernstige mannenstem. 'Dus, beste inwoners, wees voorzichtig. Het medische advies voor deze uitbraak luidt: blijf thuis, zodat deze ziekte zich niet kan verspreiden. En probeer daarbij de begroeiing niét eigenhandig uit te trekken – we hebben van diverse ouders vernomen dat dit heeft geleid tot extreme pijn, en in sommige gevallen zijn de gewassen er alleen maar hardnekkiger door geworden, en dat wil natuurlijk niemand...'

Ik keek naar buiten, naar de achtertuin. Daar stond de afzichtelijke oude wilg met zijn wortels verstikt door Vinnies verse laag beton. De takken zwaaiden naar me in de wind alsof ze me opnieuw uitdaagden. Ik draaide me resoluut weg van het raam.

'Tja, als we het huis niet uit mogen, dan ga ik vanochtend maar sollicitaties mailen,' zei mama terwijl ze een ei op de rand van de pan kapot tikte. 'Waar heb jij zin in?'

Ik haalde mijn schouders op en keek naar mijn planner. 'Vandaag is het woensdag, en normaal gesproken maak ik altijd mijn kamer schoon als ik thuiskom van de naschoolse opvang. Dat kan ik dan nu wel alvast gaan doen. Denk ik.'

Ik slofte de trap op naar boven en mijn blik viel op een rijtje ingelijste foto's aan de muur.

Op een daarvan zag je mij in de Schuimrubberen Speelzaal van Betondeugd toen ik een jaar of twee was. Ik had een witte plastic telefoon in mijn hand en staarde er nogal verward naar. Fel elektrisch licht viel op mijn gezicht. De achtergrond was nogal vaag, maar ik kon nog net de netten rondom de ballenbak ontwaren. Het zag eruit alsof ik in een peutergevangenis vol netten was gegooid.

Op die leeftijd, bedacht ik opeens, was Agatha Wonderlingh waarschijnlijk aan het spelen met de wilde bloemen en vlinders in de velden rondom haar – ons – huis.

Tot mijn eigen verbazing vroeg ik me af wat haar mening zou zijn geweest over het ondergrondse speelzaaltje zonder ramen waar ik zo veel van mijn kindertijd in had doorgebracht.

Maar waar had mama me dán naartoe moeten brengen? Naar het winkelcentrum? De bingozaal? De zonnestudio?

Het was niet haar schuld dat er niets anders was om naartoe te gaan.

Tegen die tijd niet meer.

Langzaam liep ik door naar mijn kamer.

Ik was net bezig mijn schooltruien en -shirts te sorteren toen mijn telefoon overging.

Neena klonk opgewekt. 'Geniet je een beetje van je vrije ochtend?'

'Niet echt.' Mijn hand gleed automatisch omhoog naar mijn slaap, alsof ik mijn zorgen weg wilde wrijven, toen ik bedacht wat ik daar zou aanraken. Ik trok mijn hand nog net op tijd weer weg. 'Wat ben jij aan het doen?'

'Ik ben het hele experiment met de Zonderlinge Zaadjes aan het opschrijven. Er valt zo veel te noteren...'

'Dat kun je niet maken! Dit is een geheím, Neena. We hebben elkaar beloofd het aan niémand te vertellen. Je kunt het niet zomaar opschrijven...'

'Maak je niet druk, ik laat het aan niemand zien. Maar ik ben een wetenschapper. En dit is wat wetenschappers doen: die leggen hun bevindingen vast. Ik houd ook het nieuws in de gaten, om ervoor te zorgen dat mijn verslag helemaal up-to-date is, uiteraard. Wist je dat over een halfuur een groepje ouders uit de buurt een protestbijeenkomst zal houden voor het schoolhek?'

'Waarvoor dan?'

'Ze protesteren dat hun kinderen het recht hebben op normaal onderwijs, ongeacht hoe hun hoofd eruitziet. Ja, nu gaan we het krijgen. Je moet het nieuws maar in de gaten houden; het geeft ons in elk geval de kans om meneer Grittelsnert te zien omgaan met een menigte kwade ouders. Dat lijkt me best leuk.'

Een aarzelende glimlach kroop over mijn gezicht. 'Misschien doe ik dat wel.'

'Weet je, je kunt iedereen ook gewoon van de onzekerheid af helpen en de waarheid vertellen.' Neena's stem klonk vriendelijk, maar ook aandringend.

'Nee! Het moet een geheim blijven... er staat te veel op het s-spel...' stamelde ik.

Aan de andere kant van de lijn klonk haar stem nog even vastberaden. 'Als je nu de waarheid vertelt, krijgen al die mensen in elk geval de antwoorden die ze eisen. We kunnen het samen uitleggen. We kunnen vertellen dat het niet onze schuld was...'

'O ja? En hoe zouden we ze dat uitleggen dan? Dat ik de stem van een dode vrouw hoorde in mijn hoofd, die me vertelde dat ik wat willekeurige zaadjes op onze hoofden moest zaaien, wat ik meteen gedaan heb? Denk je dat iemand dat gelooft? Dan kun je morgenochtend net zo goed meteen meelopen naar de bushalte en me uitzwaaien als ik de schoolbus naar West-Bouwval neem, want daar ga ik naartoe als iemand erachter komt wat er is gebeurd.'

Ik vond het lastig om zacht te blijven praten, aangezien mijn woede nu de kop opstak.

'Oké, oké,' zei Neena zuchtend. 'Daar heb je wel een punt. Ik spreek je later weer.'

'Oké. Doei.' Ik hing op.

Afgeleid en ongelukkig stond ik bij mijn slaapkamerraam naar de straat te staren. Na een minuut of wat verscheen er een groepje vrouwen met grijs haar, gekleed in fleecetruien. Ze hadden allemaal een soort doorzichtig douchekapje op hun hoofd dat een beetje leek op de beschermende haarnetjes die mijn moeder in de fabriek moest dragen.

Een van hen bleef staan en keek op een kaart. 'Ik geloof dat de school die kant op is,' zei ze met een luide, heldere stem, wijzend in de richting van de Kweekvijver.

De anderen maakten een opgewonden geluidje en klapten in hun handen.

'Wat spannend!' zei een van hen. 'Ik kan niet wachten om ze van dichtbij te zien.'

'Ik ook niet,' zei een ander, die een fotocamera uit haar rugzak opdiepte. 'Dit was de drie uur op de snelweg echt wel waard, vinden jullie ook niet, meiden?'

'Maar vergeet niet: *niet aanraken*,' zei een derde, die een klein plastic flesje uit haar handtas viste en de inhoud ervan op haar handen spoot voordat ze het flesje doorgaf aan de rest van de groep.

'Ik vraag me af of die knapperd van een Colin Klikaas ook weer bij de school zal zijn,' zei een van hen terwijl ze haar kapje voorzichtig rechttrok. 'Wat een goed idee was dit, Patricia. Ik bedoel, we zijn al zo vaak bij Stonehenge geweest, maar dit... Nou ja, dit was een geweldige suggestie. Echt heel spannend!'

'Kom mee, vlug – als we ons nu naar de school haasten zien we misschien wel gloednieuwe gewassen,' sprak een vrouw in een groene oliejas kortaf.

Ze wandelden de straat in op hun praktische wandelschoenen.

Vanuit mijn raam zag ik hen weglopen, maar ik begreep het niet. Wie waren dat? En waar sloeg dat op? 'We zijn al zo vaak bij Stonehenge geweest' en 'Dit was de drie uur op de snelweg echt wel waard'? Zijn ze soms expres naar Betondeugd afgereisd?

Toen viel het kwartje.

Ze waren toeristen.

De eersten van velen.

Hoofdstuk 41

Ik liep naar beneden en zette de tv aan.

Neena had gelijk: het protest voor onze school was nu echt in volle gang. Meneer Grittelsnert had zijn positie als poortwachter weer ingenomen en keek stuurs naar de ouders die zich met borden voor het hek verdrongen.

Een vrouw in een regenboogkleurige wollen poncho hield een megafoon tegen haar mond. 'Quarantaine is min, laat onze kinderen de school weer in!' scandeerde ze met haar andere hand als een vuist in de lucht.

'QUARANTAINE IS MIN, LAAT ONZE KINDEREN DE SCHOOL WEER IN!' schreeuwden de ouders.

'Ook al hebben ze een hoofd vol gras, onze kinderen moeten terug naar de klas!' schreeuwde de vrouw nu met schorre stem.

'OOK AL HEBBEN ZE EEN HOOFD VOL GRAS, ONZE KINDEREN MOETEN...'

'Luister! Luister!' riep meneer Grittelsnert nors. Toen de menigte rustig was, ging hij verder. 'Jullie kinderen zijn besmet. Er is een quarantaine ingesteld. Die regels heb ík niet bedacht, dat is doktersadvies.'

'Ja, nou, die dokters krijgen misschien niet per uur betaald, maar ik wel. Elk uur dat ik dankzij die quarantaine thuiszit met de tweeling verlies ik geld, en we moeten wel eten,' riep een brede vent met twee jongens links en rechts naast hem die allebei een felrode aardbeienplant op hun hoofd hadden. Hij duwde de jongens voor hem uit. 'Ga je gang, jullie tweetjes. Ga maar naar binnen. Als je het mij vraagt zien jullie er gezond genoeg uit.'

Zijn zoons liepen naar het schoolhek toe, maar meneer Grittelsnert ging ervoor staan en sloeg zijn armen over elkaar. 'Ze zijn geïnfecteerd. Ze mogen niet naar binnen. Regels zijn regels.'

Hun vader stapte toen langzaam maar doelgericht op het schoolhoofd af.

De menigte viel stil. Diverse volwassenen deden een stap naar achteren toen de gespierde man vlak voor meneer Grittelsnert ging staan en boven hem uittorende.

De jongens met de aardbeienplanten op hun hoofd keken onzeker van hun vader naar meneer Grittelsnert.

Meneer Grittelsnert slikte, maar hield vol. 'Zoals ik al zei, alleen hoofden zonder woekergewassen…'

Opeens stopte hij met praten. Hij greep naar zijn hoofd en slaakte een gepijnigde kreet.

In onze zitkamer vulde het hele tv-beeld zich opeens met een zeer onaangename close-up van meneer Grittelsnerts gezicht terwijl de presentator zei: 'Over enkele ogenblikken ziet u hier live en exclusief de beelden van een ontspruitende woekerkop. Zou het hoofd van de school nu zelf aan de beurt zijn?'

Donkerbruine randen bedekten het glanzende, kale hoofd van meneer Grittelsnert.

'Hij krijgt boomschors op zijn hoofd,' sprak de verslaggever geschokt.

Meneer Grittelsnerts handen schoten nu naar zijn neus. Hij bewoog alsof hij zich wilde omdraaien en terug de school in wilde lopen, maar de man vlak voor hem pakte snel zijn hand vast en trok die weg uit zijn gezicht.

De menigte krijste. De camera schokte. Op het scherm was een vaag beeld te zien van een of ander kronkelend, roze iets wat uit meneer Grittelsnerts twee grote neusgaten stak. Hij trok zijn hand los om zijn neus weer te bedekken, maar het scherm vulde zich nu met een herhaling, in close-up, van de bleke, kronkelende dingen die we zojuist uit de donkere gaten hadden zien steken.

Het waren wórmen. Meneer Grittelsnert keek een ogenblik lang kwaad naar de menigte en haastte zich toen terug naar de school.

De brede man draaide zich om naar de camera. 'Nou,' zei hij met een grijns, 'dat lijkt me toch een ontkiemend geval. Wat dus betekent dat hij geen enkel recht meer heeft om iemand buiten te houden, als je het mij vraagt. Ga maar gauw naar binnen, jochies. Ik zie jullie straks thuis.'

Hij gaf de kinderen een zacht zetje en ze liepen het schoolplein op.

De menigte ouders brulde goedkeurend en de vrouw in de regenboogkleurige poncho bracht de megafoon weer naar haar mond. 'Nu hij ontkiemt zal het tij weer keren, want hij kan ze niet langer weren…'

Terwijl de menigte haar leus overnam, bond ik mijn slaphangende bloemen en bruiner wordende grashaar naar achteren tot een strakke paardenstaart en pakte ik mijn schooltas op. Want woekerkop of niet, ik moest nog steeds een wedstrijd winnen.

Hoofdstuk 42

Tegen het middaguur waren alle leerlingen van de Kweekvijver weer in de schoolbanken te vinden, en op het eerste gezicht leek alles weer gewoon zijn normale gangetje te gaan – afgezien van een gepijnigde kreet die zo af en toe door de gangen echode wanneer woekerkop een nieuw slachtoffer eiste.

In de gangen rook het naar kool. De bouwvakkers van Valentini Bouw waren druk bezig met de nieuwe examenzaal. Wij zaten allemaal nog veilig in onze lokalen en de zon scheen neer op het lege betonnen plein voor de deur.

Chrissie Valentini was nog steeds onuitstaanbaar. Ze bleef expres haar perfecte, lange, rode vlecht aanraken alsof ze er even de aandacht op wilde vestigen dat er op haar hoofd nog niets vreemds was gebeurd. 'Papa en mama hebben me gesméékt om thuis te blijven, zodat ik dat virus niet ook zou krijgen,' hoorde ik haar lijzig tegen Bella achter me zeggen. 'Maar ik vond dat íémand op deze school een goed voorbeeld moest stellen.'

'Zeker, een heel goed voorbeeld,' zei Bella. 'Ik ben je heel dankbaar.'

'En terecht. Bovendien heb ik een geweldig immuunsysteem en een privéarts, dus ik loop geen risico. Maar echt, hoor, je kunt je niet voorstellen hoe erg mama en papa me gesmeekt hebben om thuis te blijven. Ze zeiden dat al die dingen die ze doen als ik op school zit – het winkelen en de zakenlunches en bezoekjes aan de sauna – niet opwegen tegen de eenzaamheid van het huis als ik er niet ben. Ze waren echt helemaal van streek toen Jandoetal me naar school bracht.'

'Ja, dat kan ik me indenken,' zei Bella.

Dus ja, dat ging verder ook zijn normale gangetje.

Maar er was wel íéts veranderd.

Mijn school – mijn tweede thuis, als het ware – voelde opeens vreemd. Het voelde verkeerd. Bedompt. Benauwd. Ik voelde me ellendig. Ik kon me onmogelijk concentreren. Mijn huid jeukte ervan. Met al die

gesloten ramen en een dik, zwaar dak boven mijn hoofd voelde ik me gesmoord en gevangen in het lokaal. Mijn gezicht bleef zich maar naar het licht toe draaien. Mijn hart verlangde naar iets wat ik niet kon omschrijven. En mijn paardenstaart van slaphangende bloemen zag er elke keer dat ik in een spiegel keek nog zieliger uit. Mijn mossige voorhoofd was zo droog en ruw als een oude schuurspons.

Ik was niet de enige met concentratieproblemen. Mijn klasgenootjes staarden lusteloos uit het raam naar de wolken die langzaam voorbijtrokken, zuchtten en kreunden en puften, en hun hoofden zagen er ook al zo verwaarloosd uit.

Neena, die zich zowaar naar school had weten te slepen, had het al helemaal opgegeven te doen alsof het schoolwerk haar nog boeide. Al vanaf het moment dat we hadden plaatsgenomen was ze heel druk aan het schrijven in haar gele notitieboekje.

En ik was niet de enige die dat had gemerkt.

'Goh, je hebt het er maar druk mee, hè?' joelde Chrissie.

Neena draaide haar hoofd met een ruk om en keek haar kwaad aan. 'Dus?' zei ze bits.

'Wat ben je daar allemaal aan het schrijven?' vroeg Chrissie. 'Het lijkt niet op rijtjes met Spaanse werkwoordvervoegingen.'

Meteen bedekte Neena haar boekje, maar er was net een vreselijke gedachte in me opgekomen. Ze was toch niet echt zo roekeloos en onverstandig om haar aantekeningenboekje mee naar school te nemen, hè? Dat boekje waarin tot in de kleinste details ons hele experiment met de Zonderlinge Zaadjes beschreven stond, en dat ons een enorme bak ellende zou bezorgen als iemand het vond? Toch?

Met een triomfantelijk gezicht stak Chrissie haar hand op. 'Eh... juffrouw Zonnedauw? Ik wil graag even doorgeven...'

Haar stem stierf ineens weg.

Ze hapte naar lucht. Ze slaakte een kreet. En greep haar hoofd vast.

Terwijl we naar haar keken, kroop er een klein puntje van een paarse stengel tevoorschijn uit Chrissies glanzende vlecht. De stengel groeide en groeide, in de hoogte en in de breedte.

Inmiddels had iedereen in de klas zich naar haar omgedraaid om haar aan te gapen en gefascineerd met elkaar te fluisteren over wat er bij Chrissie zou ontspruiten.

Maar na een paar seconden, naarmate het paarse hoorngeval dat uit haar hoofd stak groter was geworden, veranderde het opgewonden gefluister in afgrijselijke kokhalsgeluiden. Iedereen kromp ineen. Kinderen knepen hun neus dicht. De geur verspreidde zich door het lokaal en er werd geschrokken naar lucht gehapt en geroepen: 'Wat een stank!'

Helemaal boven aan de paarste stengel danste een groene bloem met donkere, geplooide bladrandjes. Uit het midden van de bloem stak een lange, paarse steel die eruitzag als een wijzende vinger. Al met al was het met gemak het stinkendste, smerigste, walgelijkste geval van woekerkop dat we tot nu toe hadden meegemaakt. Bella's stinkzwammen leken nu spontaan slechts fleurige luchtverfrissers. Ik was het liefst naar de toiletten gelopen om daar mijn longen vol te snuiven; vergeleken hiermee was de wc-geur zo goed als frisse lucht.

Want de dikke, groene bloem die recht uit Chrissies kruin omhoogstak als een hand uit een graf rook zo smerig dat de huid bijna van je neus afbladderde.

O, wat een stank! Elka viel ervan flauw. Bram rende naar de afvalbak om over te geven.

'Ik moet hier weg,' kreunde Aisha, die naar de deur holde.

'Laat iemand een raam openzetten!' riep Robbie, die met tranende ogen aan de hendels van het raam krabde.

De geur werd met elke minuut doordringender en walgelijker.

Chrissie staarde ons verward aan. 'Is het een roos?' vroeg ze onzeker terwijl ze met aarzelende handen probeerde de monsterlijke uitgroei aan te raken.

'Dee, dat is het diet,' zei Bella, die haar neus stevig dichtkneep.

'Het is een aasbloem,' zei juffrouw Zonnedauw. 'Een van de zeldzaamste ter wereld.'

Chrissie keek er meteen trots bij. 'Ja, dat lijkt me logisch,' zei ze opschepperig.

'En hij heet aasbloem,' ging juffrouw Zonnedauw kokhalzend verder terwijl ze een paar stappen achteruitdeinsde toen de geur sterker werd, 'omdat hij, wanneer hij bloeit, ruikt naar de geur van rottend vlees. En Chrissie...' Onze lerares trok het overdreven ernstige gezicht van iemand die haar best deed haar lachen in te houden. '...ik vrees dat ze een levensduur van wel veertig jaar hebben.'

Chrissie draaide zich om naar Bella en begon te schreeuwen. 'Knip hem af. Nu!'

Bella deinsde weg bij hun tafel. 'Eh... ik heridder be det dat ik dog een afpraak heb.' Ze rende met een verrassende snelheid naar de deur toe.

'Waar ga je heen?' vroeg Chrissie, haar groene ogen tot spleetjes knijpend.

'Baakt diet uit!' antwoordde Bella happend naar lucht. 'Alles is beter dad dit. Doei!'

We vluchtten allemaal het lokaal uit. Chrissie bleef alleen aan haar tafel zitten, heel onzeker en met haar neus dichtgeknepen. Buiten verzamelden we ons bij de deur om door de ruit naar binnen te gluren, alsof Chrissie een of ander bijzonder dier was in een dierentuin.

Juffrouw Zonnedauw ademde een paar keer diep in en uit. 'Misschien kan ze nog steeds meedoen met de les als we alle ramen openzetten.'

'Misschien als we haar uit het raam hangen,' mompelde Robbie.

Ik lachte voordat ik het kon inslikken, en dat moest Chrissie hebben gehoord, want ze hief haar hoofd met een ruk op en keek me kwaad aan. Daarna grijnsde ze een afschuwelijke grijns, boog voorover en pakte het notitieboekje van Neena's tafel. Ik zag nu pas dat ze het daar had laten liggen in haar wanhoopspoging om te ontsnappen aan die stank.

Nee!

'Wat leest ze daar?' vroeg Bram. 'Het is vast iets vreselijks. Moet je kijken hoe kwaad ze is.'

Mijn handen schoten al naar de deurkruk. 'Laat me naar binnen,' smeekte ik.

Twintig paar handen trokken me terug.

'Echt niet,' zei Robbie. 'Als je die deur opendoet, komen we allemaal om van de stank.'

Ik kon alleen maar machteloos toezien terwijl Chrissie door Neena's aantekeningen bladerde en haar ogen bij elk woord nog groter werden.

'Zeg, hoe gedetailleerd zijn je aantekeningen eigenlijk?' fluisterde ik tegen Neena.

Ze keek enerzijds trots en anderzijds nogal schaapachtig toen ze zei: 'Het is het meest gedetailleerde verslag dat ik ooit heb geschreven. Alles staat erin. Sorry.'

Weer dook ik op de deur af.

Elka was me voor en staarde me aan. 'Wil je soms dood of zo?' vroeg ze.

Ik gaf het op.

Heel langzaam bracht Chrissie het notitieboekje omlaag en ze staarde me aan door de ruit. Ze schonk me een vreemde, nogal angstaanjagende blik, en ik vroeg me af of ze dat deel had bereikt waarin stond dat haar familie de velden van Kersenbloesemdeugd had vergiftigd en door middel van leugens en bedrog het land in handen had gekregen. Maar toen ik de grijns zag die langzaam over haar gezicht kroop, dacht ik toch van niet.

Chrissie duwde haar stoel naar achteren en kwam naar de deur.

Iedereen deed een pas naar achteren en drukte zich tegen de muur.

'Bescherm je neusgaten!' schreeuwde Robbie.

Ik keek Neena vertwijfeld aan.

De deur ging open en Chrissie liep naar buiten, met opgeheven hoofd en Neena's notitieboekje vol beschuldigend materiaal in haar handen.

Iedereen kreunde toen ze voorbijliep en regelrecht naar het kantoor van meneer Grittelsnert wandelde.

Ik kreunde nog wel het hardst van allemaal toen ik besefte wat ze daar zou gaan doen.

We konden meneer Grittelsnert nog net horen kokhalzen en zagen Chrissies stralende, sinistere blik van triomf voordat ze de deur van zijn kantoor sloot.

Hoofdstuk 43

Meneer Grittelsnert en Chrissie leken in elk geval genoegen te scheppen in het feit dat wij van school werden gestuurd, al dacht ik daar anders over.

'Per direct,' had meneer Grittelsnert gezegd.

Althans, ik denk dat hij dat zei. Hij kneep zijn neus de hele tijd dicht; Chrissies stank werd met de seconde overweldigender.

Kokend van woede keek ik omlaag naar zijn grijze vloerbedekking. Dit zou niet gebeurd zijn als Neena niet zo stóm was geweest. Ik schonk haar een gefrustreerde, zijdelingse blik, maar ze had niets door. Zelf staarde ze naar meneer Grittelsnert alsof ze hem het liefst op sterk water zou zetten. Ondertussen keek hij juist weer naar mij. Een driehoek vol haat.

‘Nou, ik ben blij toe,’ flapte Neena er opstandig uit. ‘Ik had er toch al schoon genoeg van om naar een school te gaan waar ze me maar blijven vertellen hoe slecht ik ben in het volgen van de regels en waar ze negeren waar ik allemaal wel goed in ben. Ik ben geen slecht iemand, en dat is Bloem ook niet.’

‘O, wat schattig dat je het zo voor je vriendin opneemt,’ antwoordde hij gladjes. ‘En dat terwijl zij jou gisteren nog kwam verklikken in ruil voor een Pluspunt.’

Neena hapte naar lucht en mijn blik gleed meteen weer naar de vloerbedekking.

De stilte tussen ons werd ijziger, en Chrissie stond er maar bij te grijnzen. ‘Nou, dan neem ik maar vast afscheid. Veel plezier in West-Bouwval. En betekent dit dat ik nog een Pluspunt krijg, meneer?’

Tussen Chrissies hatelijke woorden door meende ik iets heel anders in haar stem te horen. Ik had me zo lang gefocust op het winnen van de wedstrijd dat ik me nooit had afgevraagd waarom zij zo graag wilde winnen. Ik bedoel, het was niet zo dat zij nou een weekje Portugal nodig had – niet met al die vakantiehuizen waarover ze al zo veel had verteld.

De manier waarop ze om het Pluspunt had gevraagd klonk bijna… wanhopig. Wilde zij daarmee soms ook iemands goedkeuring verdienen? En waarom was ze er zo op doorgegaan dat haar ouders haar gesmeekt hadden om thuis te blijven vanochtend?

Ik voelde een vlaag van medelijden door me heen glijden. Het was op zich wel vreemd dat Chrissie elke dag naar de voorschoolse én naschoolse opvang ging, ook al werkte haar moeder niet. Ze vertelde ook vaak dat ze was gaan winkelen of de bioscoop had bezocht met haar chauffeur of een van de dienstmeisjes. En ik herinnerde me dat moment waarop die menigte ouders het schoolhek had bestormd om te eisen dat hun kinderen mee naar huis mochten, en Chrissie in haar eentje op het plein stond te wachten en maar naar haar horloge keek.

Misschien had ze dat niet gedaan om de Zwitserse uurwerktechniek te bewonderen. Misschien had ze zich wel afgevraagd wanneer er iemand zou komen om haar op te halen.

'Wat doen jullie hier nog?' vroeg meneer Grittelsnert, waarmee hij me uit mijn gedachten haalde.

We verlieten zijn kantoor en enkele seconden later landde Neena's notitieboek met een klap naast ons op het tapijt.

Neena bukte zich om het op te pakken. Ze bladerde erdoorheen en slaakte een diepe zucht. 'Gelukkig,' zei ze. 'Er zijn geen bladzijdes uit gescheurd. Dat zou pas erg zijn geweest.'

'O, dát zou pas erg zijn geweest?' vroeg ik met opeengeklemde kaken. 'We zijn zojuist van school gestuurd, dit is de zwartste dag van mijn leven, ik heb madeliefjes waar mijn wenkbrauwen horen te zitten, maar gelukkig is je notitieboek niet gescheurd?'

Ze kwam weer overeind en stak haar kin naar voren. 'Sla jij nou maar niet zo'n toon tegen mij aan, Bloem. Waarom heb je me gisteren verraden? We horen toch béste vriendinnen te zijn, of ben je dat vergeten? Verlangde je zo erg naar Grittelsnerts goedkeuring dat je niet alleen je haar, maar ook je verstand kwijt bent?'

De rivier van woede die door me heen spoelde kwam gevaarlijk dicht bij het punt waarop hij buiten zijn oevers zou treden. 'Ik wilde in elk geval nog mijn best doen. Jij bekommert je altijd alleen maar om die stomme wetenschapsonzin van je. Is het dan nooit in je opgekomen dat ons geheim ontdekt zou worden als jij dat stomme notitieboek mee naar school zou nemen? Heb je dan helemaal niet nagedacht?' beet ik haar toe.

Neena hield haar hoofd schuin. 'Het is niet stom. Noem het niet zo,' zei ze op waarschuwende toon.

Ik kneep mijn ogen tot spleetjes. Ik voelde een drang opkomen om naar haar uit te halen. 'Het is wél een stom notitieboek. Het is jouw schuld dat ik van school ben gestuurd.'

Ze liep rood aan. 'Dat heb je mooi aan jezelf te danken. Jíj hebt die Zonderlinge Zaadjes gevonden. Jíj was zo geschift dat je stemmen hoorde. Het was jóúw idee om ze op ons hoofd te zaaien! Dus waag het niet om míj overal de schuld van te geven!'

Het geluid van onze hijgende ademhaling vulde de hele gang. Mijn kaakspieren spanden zich alsof ik een cobra was die nog een laatste keer wilde aanvallen.

'Ja, je hebt gelijk,' zei ik langzaam. Ik ergerde me zo dat mijn mond de meest groteske grimassen aannam. 'Ik heb het envelopje gevonden. Ik heb de stem gehoord. Ik heb de zaadjes gezaaid. Sterker nog, als ik er goed over nadenk, heb jij eigenlijk helemaal níéts gedaan, behalve achter me aan hobbelen als een irritante schaduw. Zet dát maar in je stomme notitieboekje.'

Zodra de woorden mijn mond uit waren, wilde ik ze terug naar binnen proppen.

'Het spijt me, Neena. Echt waar. Dat meende ik niet.'

Haar bruine ogen vormden twee spleetjes, waarna ze haar blik afwendde. 'Als jij de dingen die ik belangrijk vind alleen maar afkeurt en stom vindt, dan zal ik geen minuut van je kostbare tijd meer verspillen.'

Ze ademde diep in en er veranderde iets in haar gezicht, alsof er ergens een figuurlijke deur werd dichtgesmeten. 'De volgende keer dat je me nodig hebt, sta je er alleen voor.' Ze schonk me een verbitterde grijns. 'En dan weet je meteen hoe het voelt om jou als vriendin te hebben.'

Ze keerde me de rug toe en liep naar de dubbele deuren.

Tegen de tijd dat ik weer op adem was gekomen en achter haar aan naar het plein was gerend, was ze al nergens meer te bekennen.

Hoofdstuk 44

En omdat ik klaarblijkelijk nog niet genoeg te lijden had gehad, moest ik thuis ook mijn moeder nog onder ogen komen.

Ik had mijn sleutel nog maar net in het slot van de voordeur gestoken of hij zwaaide langzaam open.

Ze had haar telefoon in haar hand. 'Ik heb zojuist een interessant gesprekje gevoerd met meneer Grittelsnert,' zei ze monotoon. 'Kom maar gauw binnen.'

Met bonzend hart volgde ik mama terwijl ze zwijgend de keuken in liep. De lokale krant lag met de vacaturepagina open op tafel.

Die veegde ze ongeduldig opzij en ze wees naar de stoel. 'Zitten.'

Ik ging zitten.

'Is het waar,' zei ze, 'dat deze hele... uitbraak van... woekerkop... door jou komt? Is het een of andere stunt die je samen met Neena hebt bedacht? Zat jij er al die tijd al achter, terwijl je deed alsof je geen idee had hoe het kon gebeuren?'

Elke keer dat ik me had voorgesteld dat mama de waarheid ontdekte, zag ik voor me dat ze kwaad zou worden en zou schreeuwen. Niets had me voorbereid op haar teleurstelling.

'Mam...' probeerde ik, maar ze hield een trillende hand omhoog.

'Bloem, besef je wel wat je gedaan hebt?'

Ik liet mijn hoofd hangen. 'Ik heb iedereen veranderd in een stel freaks?' opperde ik.

'Veel erger nog. Je hebt tegen ze gelogen. Je bent niet zelf met de waarheid gekomen. Had je dat wel gedaan, dan hadden de artsen het misschien eenvoudiger gevonden om woekerkop te genezen. Heb je enig idee hoe druk de plaatselijke ziekenhuizen het hebben? En je hebt mij ook nooit de waarheid verteld. Die moest ik van die afgrijselijke man horen. Ik had meer van je verwacht.'

'Het spijt me,' mompelde ik, maar ze leek me niet te horen.

'En het ergste is nog wel, Bloem, dat je dit hele mediacircus naar de stad hebt gebracht. Media die op dit moment hun camera's op jonge jongens en meisjes richten, waardoor ze zich schamen voor wie ze zijn. Dát is het ergste van alles.'

Mijn moeders teleurstelling leek de hele keuken te vullen. Zelfs de kraan was er stil van.

'En op een concreter niveau, Bloem, hebben jouw geintjes mij mijn baan gekost.' Ze keek naar de omcirkelde vacatures naast haar en zuchtte. 'Je gelooft het niet, maar ik heb maar weinig loopbaankeuze nadat ik ben ontslagen door een van de weinige werkgevers in dit stadje.'

Ik staarde naar haar verslagen ogen en probeerde het uit te leggen. 'Maar weet je, mam... ik heb dit juist voor óns gedaan.'

Ze keek kwaad op. 'Geen geintjes nu, Bloem. Daar voel ik helemaal niets voor.'

'Maar het is waar!' Tranen rolden over mijn wangen. 'Ik vond de zaadjes... Er was een stem... die zei dat ik je leven kon veranderen... óns leven... En je zag eruit alsof je die vakantie echt heel hard nodig had, mama...'

Ze fronste. 'Welke vakantie?'

Ik gaapte haar aan. *Meent ze dit nou?* 'De vakantie in Portugal! De prijs voor de gehoorzaamste leerling! Ik dacht dat de zaadjes me zouden helpen de wedstrijd te winnen, en dan zou je weer blij zijn en...'

Mama schudde haar hoofd. 'Ik heb je nooit gevraagd om die vakantie te winnen, lieve schat. Die vakantie deed me weinig, dat wilde jij juist zo graag! Ik ging erin mee omdat ik wilde dat jij gelukkig zou zijn.'

'Wat? Jij ging erin mee voor mij? Maar ik deed het juist voor jou. Om jou op te vrolijken.'

'Mij op te vrolijken?' Mijn moeder staarde me over tafel aan en liet een grappige half-snik, half-lach horen. 'Jij dacht dat het jouw taak was om mij op te vrolijken?' Ze ademde diep in en mompelde voor zich uit: 'O, ik heb hier toch aardig wat steekjes laten vallen, hè?'

Ik staarde haar weer aan, verward, en ze schonk me een nerveuze glimlach. 'Luister, Bloem, ik weet dat ik zo af en toe wat somber kan zijn, maar dat had nooit jouw probleem moeten worden. Als je de waarheid wilt weten: ik had er een hekel aan om de hele dag in die ijskoude fabriek te werken en te moeten kijken naar worstvormig verwerkt vlees dat uit een machine werd geperst. Dat was niet wat ik voor mezelf in gedachten had. Ik had er schoon genoeg van dat ik niet genoeg lef had om tegen mijn baas in te gaan, dat ik altijd veel te uitgeput was om iets leuks met jou te gaan doen, dat ik niet... de moeder kon zijn die je verdiende. Dáárom was ik zo humeurig.'

'Heb je het nooit leuk gevonden bij Chillz? Maar ik dacht dat je het daar geweldig vond!'

Ze trok een grimas. 'Dat weet ik, en dat maakte het voor mij makkelijker. Als je de waarheid had geweten, had je je zorgen om me gemaakt. En ik denk dat ik...' Haar onderlip trilde. 'Ik denk dat ik je wilde beschermen tegen de puinhoop die ik van mijn leven had gemaakt.' Ze keek omlaag naar de tafel en veegde met een hand iets uit haar ogen.

We bleven een poosje stil, maar het voelde als honderd jaar. De klok in de gang tikte ons toe.

'Zo te horen hadden we allebei geheimen voor elkaar,' zei ik uiteindelijk.

Ze glimlachte vermoeid naar me en haar groene ogen stonden vol tranen. 'Daar lijkt het wel op.'

Een verontrustende gedachte bekroop me. 'Dus… al die certificaten voor gehoorzaamheid, goed gedrag en mijn perfecte aanwezigheid… al die schoenendozen vol prijzen… was dat tijdverspilling?'

Mijn moeder aarzelde en haalde haar schouders een klein beetje op. 'Als ik eerlijk ben, had ik het net zo goed gevonden als je een certificaat voor de pluizigste navel had gekregen, zolang je maar plezier had in wat je deed en bezig was te ontdekken wat jouw weg is hier op aarde. Dat wil ik meer dan ook voor je, zodat jij niet eindigt in een overall die je nooit had willen aantrekken. Ik ben trots op je, al vanaf de dag dat je geboren bent. Ik heb geen certificaten van school nodig als bewijs van hoe geweldig je bent.'

'Maar je noemde me je brave meid en je keek altijd zoveel blijer als ik thuiskwam met een certificaat.'

Mama zuchtte. 'Ik was blij omdat jij het zo belangrijk leek te vinden. Ik dacht dat jij al die dingen zo graag wilde bereiken, en ik gaf je een compliment omdat jij er zo veel waarde aan leek te hechten.'

Ze wriemelde aan haar zilveren oorringen en zuchtte. 'Dit is mijn schuld. Ik had je dit veel, veel eerder al moeten vertellen, dan zouden we nu misschien niet zo diep in de nesten zitten.' Ze keek naar me op en er gleed een glimlach rond haar mond. 'Maar het goede nieuws is dat ik een geniaal idee heb, Bloem. Al vanaf het moment dat Neena's moeder me herinnerde aan dat café dat we wilden...'

Er werd vastberaden en luid op de deur geklopt.

Mama keek me vragend aan. 'Verwacht je iemand?'

Ik schudde mijn hoofd.

'Nou ja, denk je dat het dan mogelijk is dat je even naar de deur toe loopt? Wie het ook is, zeg maar dat we het druk hebben. We hebben nog zo veel om over te praten...'

Bons. Bons. Bons.

'Zo, die weet ook niet van ophouden,' zei mijn moeder.

'Ben zo terug.' Ik schoof mijn stoel naar achteren.

Ik liep de gang in met mijn gevoelens helemaal in de knoop. Ik voelde me verdrietig, maar ergens was er toch ook een sprankje hoop. Het was fijn geweest om eerlijk te zijn tegen mama. Ik had het gevoel alsof het licht aan het einde van de tunnel in zicht kwam.

Toen trok ik de voordeur open en werd ik verblind door een klikkende flits.

'Zo, is me dat even een blij gezicht voor een meisje dat zo diep in de problemen zit!' klonk een overdreven vriendelijke stem.

Toen mijn ogen zich weer hadden aangepast, tuurde ik naar de man die in een strak roze pak voor me stond. Er was iets aan zijn ogen wat me bekend voorkwam.

'W-Wat?' stamelde ik.

Hij streek zijn blonde haar glad naar achteren en ontblootte zijn tanden. 'Bedoel je niet: pardon?' sprak hij stroperig.

Ik keek hem fronsend aan terwijl mijn hoofd tolde van alle vragen. Waar herkende ik hem van? Wie was de vrouw die achter hem op ons tuinpaadje stond? Waarom hield ze een enorme fotocamera vast en glimlachte ze op een vreemde, doordringende manier naar me? Waarom voelde ik me als een kikker die tijdens biologie ontleed ging worden? En wát was dat voor afgrijselijke stank? En...

'Blom Akkerman?' vroeg de man heel vriendelijk terwijl hij een notitieboekje en een potlood met een scherpe zwarte punt uit zijn zak trok.

'Ja?' zei ik, te verbaasd om mijn voornaam te verbeteren.

'Ik ben Colin Klikaas, hoofdverslaggever van *Nieuws & Primeurs*,' zei hij. 'Er is me verteld dat jij misschien meer weet over de woekerkopepidemie. Wil je jouw kant van het verhaal vertellen?'

'Zeg dat nog eens?' vroeg ik in een poging tijd te rekken.

Colin kneep zijn ogen samen. 'Kom op, meisje, beken het nou maar. Ik heb een zeer betrouwbare bron die ons nagenoeg álles heeft verteld. Het schuldgevoel moet enorm zwaar op je schouders drukken. Dus waarom lucht je je hart niet even bij mij? Vertel me álles.'

'Wie bent u?' vroeg mijn moeder achter me. 'En waarom valt u mijn dochter lastig?'

Colin en de fotografe keken nu zo opgewonden, het was net alsof we hun favoriete gebakje uitdeelden.

'O, het aandoenlijke duo,' kirde Colin. 'Wat fijn u weer te zien. Hoe voelt het nou, mams, om te weten dat je dochter het meesterbrein achter deze verschrikkelijke plaag is? Te weten dat je die belachelijke boom op je hoofd aan haar te danken hebt? Ik wil je uiteraard geen woorden in de mond leggen, maar zullen we beginnen met *vernederend*? *Afgrijselijk*?'

'Wat dacht je van *donder op*?' zei mama, terwijl ze de plant op haar hoofd aanraakte.

'Ik geloof niet dat die optie ertussen zat, mam,' mompelde ik.

Colin hield zijn hoofd schuin en keek haar aan alsof ze hem had teleurgesteld. Hij haalde zijn schouder op en wees weer met zijn potlood naar mij. 'Goed, terug naar de dochter dan maar. Vertel eens waarom je het gedaan hebt, Blom. Wilde je soms wraak nemen op je klasgenoten? Kwam je aandacht tekort, was dat het soms? Ik hoorde dat je vader ervandoor is gegaan toen je nog klein was, dat moet toch ook een flinke impact hebben gehad…'

'Zo kan-ie wel weer!' brieste mijn moeder, en de bladeren van haar boom ritselden kwaad. 'Ben je helemaal gek geworden? Waar haal je het vandaan? Ze is pas elf! Ze is geen meesterbrein… Ze is gewoon een normaal meisje dat een klein foutje heeft gemaakt. Dit was een ongelukje, en ze deed het alleen maar omdat ze zo graag wilde dat ik trots op haar zou zijn…'

Colins ogen begonnen te stralen. 'Echt wáár? Dus je dochter heeft dit vreselijke plan in werking gesteld om jou een lol te doen? Wauw, dit verhaal wordt echt steeds beter.'

'Zo veel invalshoeken,' zei de vrouw achter hem, hevig knikkend.

'Doe toch niet zo stom,' zei mama bits. 'Hoe kom je aan die idiote ideeën? En hoe kom je eigenlijk aan ons adres?'

Colin antwoordde gladjes: 'Ik onthul mijn bronnen niet.'

Maar dat was ook niet nodig. Ik kon zijn bron vanaf hier rúíken. Die stond namelijk op de stoep vlak voor ons huis, zelfingenomen te zwaaien.

'Hoi, Chrissie,' zei ik mat.

Mama's ogen stonden vol tranen toen de geur van de aasbloem haar neus had bereikt. 'Wat ís dat voor een walgelijke stank?'

Ik zuchtte. 'Dat is Chrissie, mam.'

'Ik dacht dat er een rioolbuis was ontploft...'

Colin viel haar in de rede. 'Maar kom, Blom, vertel ons hoe je het hebt gedaan, dan laten we je weer met rust. Zet de feiten voor ons op een rijtje. Je kunt het er maar beter uit gooien. Je zult je stukken beter voelen wanneer alles is uitgesproken... Dat zeg ik tegen iedereen – omdat het waar is.' Hij sprak op lage, aanhoudende toon, een beetje zoals een vlieg die rond je hoofd zoemt.

Ik voelde mijn aderen in mijn slapen bonzen.

'Toe dan, Blom, je weet dat je het wilt,' drong hij aan. 'Wat is er met je, heb je je tong verloren? Geef ons een exclusief interview, dan maak ik van jou de beroemdste elfjarige in het land. Je zult in alle kranten staan. Lijkt je dat niet gaaf, Blom?'

Ik staarde naar zijn puntige gezicht en hongerige ogen. Waarom zei hij mijn naam nou steeds verkeerd?

Er knapte iets in me.

'IK HEET GEEN BLOM!' schreeuwde ik.

FLITS! deed de camera precies op dat moment.

'Hebbes,' zei de vrouw. 'Dat was een goeie. Het legt precies haar kwaadaardige kant vast. O, deze gaat vast viral.'

'IK HEET BLOEM!' schreeuwde ik. 'Bloem, weet je wel? Hoe moeilijk kan het zijn?'

'Wat jij wilt,' zei de vrouw, die zich omdraaide om te vertrekken.

Colin liep ondertussen al naar het busje. 'Vijandige, alleenstaande moeder, een gehersenspoeld sleutelkind, ongerechtvaardigde dreigementen en een verwaarloosd huis... geen wonder dat Blom zo is geworden,' zei hij hardop, alsof hij een toespraak oefende. Hij draaide zich nog even om voor een laatste, lange blik onze kant op voor hij op de passagiersstoel klom.

'Ga toch zwemmen in een vat haargel,' beet mama hem toe.

Vlak voordat ze de deur dichtsmeet, zag ik de brede, tevreden grijns op de gezichten van Chrissie, Colin en de fotografe. Ze hadden blijkbaar precies gekregen waar ze voor kwamen. Maar wat was dat, eigenlijk?

Hoofdstuk 45

Je kon veel zeggen over Colin Klikaas – en geloof me, mama had genoeg over hem te zeggen – maar hij hield zich aan zijn woord. Hij maakte me beroemd.

De volgende ochtend stond ik in alle kranten. Van *Het Betondeugds Dagblad* tot aan de *Nationale Spiegel*, de foto's van mij en mama die in de lens van de camera tuurden prijkten op alle voorpagina's in het hele land, vergezeld door een stel nare krantkoppen, als: HOE MOEILIJK KAN HET ZIJN? – MEESTERBREIN VAN ANGSTAANJAGENDE EPIDEMIE SCHAAMT ZICH NIET en LUIDT DEZE GEDROCHTELIJKE EPIDEMIE HET EINDE VAN DE WERELD IN? IS HET NOG TE STOPPEN? HOE LOOPT DIT AF? En DE DROEVIGE GEHEIME THUISSITUATIE VAN 'S LANDS STOUTSTE ELFJARIGE en HOE BESCHERM JE JEZELF TEGEN

EEN UITBRAAK: MAAK GEBRUIK VAN DE KRACHT VAN MIJN GEPERSONALISEERDE KRISTALLEN, DOOR DOKTER K. WAKZALVER. De foto's van mijn boze gezicht, uitgedroogde voorhoofd en slappe bloemen lieten me niet van mijn beste kant zien, dat moest ik toegeven.

De rest van die ochtend namen de televisie, de radio en het internet dezelfde onzin over die Colin uit zijn duim had gezogen. Dat ik een afschuwelijk experiment had bedacht met hulp van mijn beste vriendin Neena, bij haar in de schuur. Dat we de Zonderlinge Zaadjes hadden gemaakt met een mengeling van gevaarlijke chemische stoffen en een snufje hekserij. Wat Chrissie Colin ook had wijsgemaakt, het had overduidelijk niets te maken met de waarheid over Agatha Wonderlingh en waar de Zonderlinge Zaadjes echt vandaan waren gekomen. Ze had zich óf te zeer geschaamd voor wat ze over haar voorouders had gelezen, óf ze had Neena's lelijke handschrift niet kunnen ontcijferen, óf ze had dat deel van de aantekeningen niet eens gezien. Hoe dan ook, nu dat essentiële onderdeel van het verhaal ontbrak in alle media, moest ik toegeven dat wij inderdaad overkwamen als een stel boosaardige schurken.

Moet ik het rechtzetten? Maar wie zou mij nou nog geloven?

Ondertussen liep mama de hele ochtend door het huis om de televisie en de radio eerst uit te zetten en het geluid van haar telefoon uit te schakelen, omdat ze zei dat ze het niet meer kon aanhoren, en even later zette ze alles weer aan, omdat het haar toch beter leek op de hoogte te blijven van de ergste ontwikkelingen. Ze leek zo overweldigd en angstig door alles dat ik vreesde dat ze bij een nieuwe onthulling helemaal zou doordraaien.

De menigte journalisten en toeristen verplaatste zich van de stoep voor het schoolhek naar de straat vlak voor ons huis. Iedereen stond op een kluitje op de stoep en je kon het opgewonden geklep zelfs vanuit onze keuken horen. Mama moest de gordijnen van de zitkamer dichthouden, omdat mensen hun telefoons omhoog bleven steken in de hoop een foto van ons te kunnen maken.

Het leek wel alsof er om de paar tellen iemand op onze voordeur klopte, in de hoop dat we nog iets zouden zeggen waardoor het hele land weer over ons heen zou kunnen vallen. De journalisten schreeuwden hun vragen zelfs door de gleuf van de brievenbus.

'Is er nog meer wat je kwijt wilt?'

'Ben je bezig nog meer van die Zonderlinge Zaadjes te kweken daarbinnen?'

'Wat is je volgende truc?'

'Mag ik hier even naar de wc?'

Mijn moeder moest een kreet inslikken en zette het geluid van de radio harder, waardoor de hele keuken nu galmde met de stem van een verslaggeefster die aankondigde: 'En tot slot, het allerlaatste nieuws: het hele stadje Betondeugd is besmet met woekerkop.'

Mijn moeder en ik staarden elkaar aan.

Dat is precies wat Agatha Zonderlingh altijd heeft gewild.

'Artsen zijn nog geen stap dichter bij een remedie voor de duizenden besmette gevallen, al kunnen ze wel bevestigen dat uitsluitend inwoners van dit ene stadje tot nu toe aan de ziekte ten prooi zijn gevallen. We weten inmiddels dat het allemaal het werk is geweest van één elfjarig meisje, Blom Akkerman, een kind uit een gebroken gezin...' Mijn moeder hapte naar lucht. '...en haar onnozele handlanger, Neena Gupta, van wie we hebben vernomen dat ze niet langer met elkaar spreken.'

Ik snifte. *Toe maar, wrijf het er maar in.*

De stem van de verslaggeefster klonk steeds geanimeerder. 'Via een live link praten we met enkele van hun slachtoffers, hun eigen klasgenootjes van de Kweekvijverschool. Robbie, Bella, Bram en Elka... hallo.'

'Hallo,' zeiden ze, nogal onzeker.

Mijn mond was opeens droog toen ik de gedempte stemmen van mijn vrienden – en Bella – hoorde.

'Vertel ons eens hoe jullie je voelen na dit verraad door je eigen vrienden.'

'Nou, we zijn van streek, natuurlijk,' zei Elka. 'Maar we zijn er niet helemaal zeker van dat ze dit exprés hebben gedaan.'

'J-Ja,' stamelde een zachtere stem die alleen maar van Bram kon zijn. 'Misschien was het wel een vergissing. Ze zijn onze vrienden...'

'Maar ze hebben jullie hele hoofd misvormd,' viel de vrouw hen in de rede. 'Zijn jullie dan niet kwaad? Voel je je niet verraden? Gaan jullie er niet onder gebukt?'

'O, ja, dat voel ik allemaal,' antwoordde een gretige stem. Bella. 'Zeker weten. Kwalijk. Verraadseld. Gebogen, alles.'

Ik had genoeg gehoord.

'Ik kan hier niet meer naar luisteren,' zei ik, helemaal overstuur. 'Ik ga naar mijn kamer.'

Mijn moeder spreidde haar armen. 'Kom eens hier, lieverd,' zei ze, maar ik duwde haar weg en rende naar boven.

Vanuit mijn slaapkamerraam telde ik minstens vijftig mediabusjes die in de straat geparkeerd waren. Er stond een klein eetkarretje op wielen midden op de stoep, waar een tiener in een zwarte hoody vandaan liep met een arm vol koffiebekers.

Voor ons huis liep een vrouw met een gigantisch hoge, roze haardos heen en weer. Ze was gekleed in een T-shirt met daarop WOEKERKOPTOURS, en wees opgewonden naar ons huis terwijl een groepje toeristen met hun telefoon in de hand aan haar lippen hingen.

En Colin Klikaas, die de beste plek op ons tuinpad had opgezocht, leek het middelpunt van dit alles te vormen. De make-upkwast waarmee Kiki zijn gezicht bepoederde was nieuw en leek nog groter dan de vorige. 'Hoe zie ik eruit?' vroeg hij haar grijnzend, en het groepje oudere vrouwen vlakbij begon te giechelen en verrukte kreetjes te slaken.

Ik keek op mijn eigen, antieke mobiele telefoon. Neena had op géén van de vijfenveertig berichtjes gereageerd die ik haar sinds onze ruzie had gestuurd. Ik probeerde er nog een.

Ben je daar? Alles ok? Stuur alsjeblieft een berichtje terug. B x

Ondanks al die akelige dingen die er over me gezegd werden op radio en televisie was Neena's stilte toch wel het ergste wat me was overkomen. En die stilte duurde de hele dag.

Hoofdstuk 46

Ik keek in de spiegel naar mijn hoofd.

Ja, alles zat er nog. En het zag er zieliger uit dan ooit.

Maar ik wilde zo wanhopig graag naar buiten.

De pers had nu al drie dagen lang voor ons huis zijn kamp opgeslagen. Het enige wat mama nog deed was de hele dag op de bank zitten en naar het nieuws kijken in haar oudste, smerigste pyjama. De boom die uit haar hoofd stak had de meeste van zijn blaadjes wel verloren, en de rest hing er zielig bij, als kerstballen die niet meer uit een kerstboom waren gehaald. We hadden geen melk, geen theezakjes, geen brood en geen boter meer in huis, en mijn hersens voelden sloom en afgestompt.

Ik sloopte mijn spaarpot en stak mijn spaargeld – wel vijf euro vijfentachtig – in mijn zak.

‘Mam,’ zei ik vastberaden toen ik de trap af liep, ‘ik ga naar de winkel. Heb je iets nodig?’

Er kwam geen antwoord. Mijn moeder lag op de bank te slapen.

Is ze helemaal niet naar bed gegaan?

Ik ging dichterbij kijken. Haar huid was zo bleek dat die goed zichtbaar was in het schemerdonker van de kamer.

Ik duwde de voordeur open.

De menigte buiten hapte naar lucht en deinsde met hun handen boven hun hoofd naar achteren alsof ze zich probeerden te beschermen.

‘Waar ga je naartoe, kindje? Wil je ieders leven kapotmaken soms? O nee, wacht... dat heb je al gedaan.’ Colin grijnsde erbij en kneep daarna een half flesje oogdruppels leeg in zijn ogen.

Ik liep met hangend hoofd langs hem terwijl de flitsers en mobiele telefoons om me heen als een malle klikten en flitsten.

Ik liep naar het winkeltje aan het einde van onze straat en negeerde de vinnige blikken van de andere klanten. Toen ik had gepakt wat ik nodig had zette ik mijn boodschappen op de toonbank neer en ik glimlachte naar de vrouw die erachter stond.

‘Jouw geld hoef ik niet,’ zei ze met een kwaad gezicht.

‘Sorry?’ vroeg ik. Ik keek naar de munten die ik had neergelegd. Ik begreep niet wat er mis mee was.

'Ik help jou niet,' spuugde ze me toe. 'Ik weet wie je bent. Je hebt mijn ombrékapsel verpest. Kostte me tweehonderd euro, dat kapsel, en nu heb ik alleen nog maar deze stomme rode klimplant boven op mijn hoofd en ik vind hem vreselijk. Dus nee, ik help jou niet.'

'Maar ik heb zo'n honger. Alstublieft!' smeekte ik.

Ze snoof. 'Dat is niet mijn probleem. En nu wegwezen, anders roep ik de beveiliging.'

Ik deed mijn best om niet te gaan huilen toen ik over straat naar huis liep.

Daar ontdekte ik dat iemand de woorden MEESTERBREIN WOEKERKOP TUIG in felrode letters op de voordeur had geverfd. Ik hapte geschrokken naar lucht, baande me vol verontschuldigingen een weg door de menigte – die alleen maar groter was geworden sinds ik van huis was gegaan – en duwde de deur open, en deed mijn best daarbij geen rode verf op mijn handen te krijgen.

Eenmaal binnen snufte ik wanhopig. Het huis rook muf en ongewassen. Mama was wel wakker geworden, maar niet van de bank af gekomen, en er was iets aan hoe ze eruitzag wat me deed denken aan die vlieg in de venusvliegenvanger van juffrouw Zonnedauw.

Als ze niet snel opstaat, dacht ik somber, dan verdwijnt ze waarschijnlijk voorgoed in de kussens.

Mijn maag liet een koppig geknor horen. Ineens had ik

een ingeving. Er lagen nog stapels afgekeurde pizza's in de vriezer!

Meteen stopte ik er een in de oven, en met een lichte verbazing stelde ik vast dat de gebruikelijke kaasgeur die in de keuken hing me niet langer het water in de mond deed lopen.

Toen de pizza klaar was nam ik hem mee naar de zitkamer.

Mijn moeder staarde naar de muur en wriemelde aan haar oorringen.

'Hoe gaat het met de zoektocht naar een nieuwe baan?' vroeg ik.

'Niemand wil mij aannemen, schat,' zei ze monotoon.

Mijn oog viel op een kop in de krant die op de grond lag. Daar vlak onder stond een citaat: *'We zijn alle pizza's die onder het toezicht van mevrouw Akkerman zijn gemaakt aan het vernietigen,' zegt de verafschuwde Chillz-manager. 'Dat is wel het minste wat we kunnen doen.'*

Mijn moeder zag me ernaar kijken en schonk me een loze glimlach. 'Ik ben blijkbaar de slechtste moeder van heel Betondeugd.'

'Niet waar,' zei ik meteen, maar ze haalde haar schouders op. 'Mam,' zei ik aarzelend, 'iemand heeft iets op ons huis geverfd.'

'Is dat zo? Wat leuk,' zei ze afwezig.

'Er staat dat we tuig zijn.'

'O. Da's ook wat,' zei mama.

'Is dat er nog af te poetsen? Ik doe het wel.'

'We hebben geen schoonmaakmiddel meer.'

'Het spijt me, mama,' zei ik toen ik haar bleke gezicht, verwelkte margrietjes en verschrompelde bladeren zag.

'Dat weet ik, lieverd,' zei ze met een zucht. 'Dat weet ik toch.'

Ik nam een hap van mijn afgekeurde pizza en spuugde een mond vol smeltkaas uit. Waarschijnlijk was er onlangs iets verkeerd gegaan in de fabriek, want de pizza smaakte afschuwelijk.

Hoofdstuk 47

Nadat ik een tijdje in de zitkamer bleef en het rumoer van de journalisten steeds luider hoorde worden, liep ik terug naar mijn kamer om Neena nog een berichtje te sturen: Kunnen we praten? B xx

Een onbekend sissend geluid steeg naar me op vanaf de stoep. Ik gluurde tussen mijn gordijnen door. Er stond een hotdogkraam vlak voor ons huis. Een man in een hawaïshirt voorzag iedereen van hotdogs. De geur deed mijn maag knorren. Ik knipperde tegen de tranen en draaide me weg bij het raam.

Maar er steeg een opgewonden geroezemoes op uit de menigte, en aan het einde van de straat vormde zich een groep mensen. Ik tuurde die kant op, maar de flitslampen verblindden me. Waarschijnlijk was het weer een eetkraampje, dacht ik somber, en ik wendde me weer af. Als ze zo opgewonden waren, zouden het weleens donuts kunnen zijn, of iets.

Woef! Woef! Een wild geblaf sneed door de lucht.

De menigte deinsde iets naar achteren en ineens was Sid te zien, met een bosje goudgele bloemen die uit zijn hoofd staken. Naast hem liep Fleur. Samen liepen ze langzaam verder onze straat in. Ik voelde een mengeling van blijdschap en woede toen ik hem zag. Wat deden zíj nou weer hier?

Sid leek alle huisnummers te bestuderen. Tegen de tijd dat hij bij Gerdien Kwinkel naast ons was aangekomen, had ik mijn slaapkamerraam al wijd opengegooid. Ik kon me niet langer stilhouden.

Ik negeerde het plots happen naar lucht en de flitsende fototoestellen van de toeristen en journalisten onder mijn raam en riep hem: 'Sid, ik ben hier!'

Hij keek op, maar toen onze blikken elkaar ontmoetten wachtte ik even onzeker af. Ik had hem vertrouwd, en juist hij had me aangemoedigd de Zonderlinge Zaadjes te zaaien, waardoor mijn hele leven was verpest. Aan de andere kant was ik ergens toch blij hem te zien.

Hij leek mijn aarzeling aan te voelen en schonk me een voorzichtige glimlach.

'Ik heb eten bij me,' zei hij.

'Ik kom eraan.'

Bij de voordeur wierp Sid één blik op de verwelkende, uitgedroogde bloemen op mijn hoofd en de graffiti op de voordeur. Hij zuchtte. 'O jeetje,' zei hij zacht. 'Dit is erger dan ik dacht.'

Ik beet op mijn lip en knikte, niet zeker of ik hem moest vragen binnen te komen of niet.

Hij viel even stil en zijn gevlekte ogen stonden bedachtzaam. 'Luister, ik wil niet te lang blijven. Ik wilde je wat te eten brengen en kijken of het wel goed ging met je. Ik heb hier aardappels, groene bonen en bieten uit mijn eigen moestuin, en wat brood, kaas, melk, theezakjes en chocoladekoekjes.' Hij zette een overvolle canvastas bij mijn voeten neer.

'Bedankt,' mompelde ik. Het deed me wat.

'O, en ik heb dit onlangs nog gevonden,' zei hij. 'Ik weet wel dat ze niet je meest favoriete persoon ter wereld is op dit moment, maar ik vond wel dat jij het moest krijgen.' Hij overhandigde me een kleine envelop, die ik wegstopte in mijn broekzak.

Fleur likte mijn hand.

Sid keek me kalm aan. 'Weet je, toen jullie die eerste keer naar Wonderlingh kwamen, vond ik je een van de dapperste mensen die ik ooit had leren kennen. Je wist je staande te houden terwijl ik tegen je tekeerging.'

'Dat kwam alleen maar doordat ik een wedstrijd wilde winnen,' bromde ik.

'Maar het punt is dat je het niet opgaf. Veel mensen weten niet hoe dat moet, maar jij wel. En ik zal je nog wat vertellen. Zelfs in de strengste winter, wanneer een tuin er nagenoeg dood uitziet, is hij gewoon bezig met voorbereidingen voor de lente. Soms, net wanneer je denkt dat alles voorbij is, steekt het leven dat vlak onder het oppervlak schuilging weer zijn kopje op en weet het iedereen te verrassen. Misschien ontstaat er voor jou ook wel een nieuw leven?'

Ik keek over zijn schouder naar de menigte voor het huis. Vijf toeristen waren op elkaars schouders geklommen om in mijn huis te kunnen kijken. Op de stoep was een journalist bezig een grote, pluizige microfoon tot vlak bij onze hoofden te brengen in een poging op te vangen waar ons gesprek over ging.

'Ja,' zei ik langzaam. *Een nieuw leven als toeristische attractie en sociale verschoppeling, die voor de rest van haar leven gevangenzit in Huize Zwaargemoed. Geweldig. Dat is precies wat de patiënt nodig had.*

'Bedankt voor de boodschappen,' zei ik wat enthousiaster. 'We kregen al honger.'

Sid wuifde de microfoon weg en ademde toen diep in. 'Ik heb nog eens nagedacht over jou en die Zonderlinge Zaadjes,' zei hij.

Ik keek hem strakker aan. 'O?' zei ik.

'Er moeten minstens vier of vijf andere gezinnen zijn geweest die voor jou in dit huis hebben gewoond. Heb je je niet afgevraagd waarom zij Agatha's stem nooit hebben gehoord? Waarom zij die Zonderlinge Zaadjes niet hebben gevonden, maar jij wel?'

Ik haalde mijn schouders op. 'Omdat ik makkelijk om de tuin te leiden was, en zij niet?'

Nu keek Sid me recht in mijn ogen. 'Alleen een speciaal iemand kan stemmen uit het verleden horen,' sprak hij. 'Daar heb je een hart voor nodig dat openstaat voor dingen. Alleen een speciaal iemand kan leven zien in iets wat zo klein is, zo gemakkelijk over het hoofd te zien is, en het vrijlaten om te doen wat het moet doen.'

'Het was een vlóék,' beet ik hem toe.

Sid raakte de goudkleurige bloemen aan die uit zijn hoofd omhoogstaken. 'Dat,' zei hij zacht, 'is maar net hoe je het bekijkt.'

Ik staarde hem aan en opeens werd alle chaos in mijn hoofd iets stiller.

'Ik zie je nog wel een keertje,' zei hij, met een vriendelijke blik in zijn ogen vol lichtbruine vlekjes, voordat hij zich omdraaide. 'O, en bedankt hiervoor.' Hij wees naar zijn hoofd. 'Zonnebloemen. Mijn lievelingsbloemen.'

Hoofdstuk 48

Toen ik de deur had gesloten, twee koppen thee had gezet en twee kaastosti's had gemaakt en erop had gelet dat mama de hare had opgegeten, nam ik plaats aan de keukentafel om de envelop te openen die Sid me had gegeven.

Er viel een kleine zwart-witfoto uit. Daarop was een jonge vrouw in een lichte, katoenen jurk te zien die in een zonovergoten tuin stond. Eén hand lag boven op een schop. De andere had ze rond een kleine boom geslagen die niet veel groter was dan een bezem. De vrouw had een roomkleurige huid en lachende ogen. Haar geluk leek van de foto af te stralen.

Ik draaide hem om. Op de achterkant stond: *Agatha en de jonge wilg, Huize Wilgengroet, 1840.*

Ik staarde ernaar en voelde de radertjes in mijn hoofd draaien. Was dát Malle Aagje? Dus de vrouw die zo veel verwoesting en wraak had uitgestort – die een hele stad had vervloekt – was een lachende dame die een boom plantte en haar haren liet wapperen in de wind?

Aarzelend draaide ik de foto weer om. De vrouw met de vriendelijke ogen keek naar me, en de dikke, harde laag die zich rond mijn hart had gevormd verdween.

Ik keek naar de jonge boom waar ze haar arm omheen had geslagen en vervolgens uit het raam naar de zieke wilg, die zoals gewoonlijk wanhopig met zijn takken stond te zwaaien. *Die was van haar.* Op een of andere manier was de slanke boom die Agatha op een zonnige dag had geplant verworden tot een ziekelijk, lelijk ding. Misschien kwam dat wel doordat hij na haar dood de rest van zijn eenzame leven ongeliefd was en genegeerd werd. Eens had hij in een grasveld vol wilde bloemen gestaan, met als gezelschap een vrouw die van hem hield. Nu stond hij praktisch klem op een verwaarloosd terras met eigenaren die hun neus optrokken wanneer ze hem zagen.

Misschien zwiepte hij niet met zijn takken om me te treiteren. Misschien had hij daar wel een heel andere reden voor. Misschien wilde hij iets anders van me.

Liefde.

Ik legde de foto neer, keek de keuken rond en pijnigde

mijn hersens. De wilde emoties van de afgelopen dagen leken nu een stuk kalmer in mijn hoofd, en het was nu heel wat eenvoudiger om weer door mijn eigen gedachten te struinen.

Ik dacht aan de peuterspeelgevangenis zonder ramen waar alle kleine kinderen van Betondeugd naartoe gingen, jaar na jaar, als pizza's op een lopende band, tot ze er aan de andere kant af rolden in een school die hen de hele dag lang binnenshuis hield.

Ik dacht aan Neena's protest tegen meneer Grittelsnert en dat ik te bang was geweest om haar te helpen, omdat ik zo graag indruk wilde maken op een schoolhoofd dat niet eens de moeite nam om mijn voornaam te leren. En iedereen had haar uitgelachen, ook al had ze juist geprobeerd hen te helpen.

Ik keek naar de foto van de vrouw met de stralende ogen. Ze had haar favoriete rivier zien verdwijnen toen die werd leeggepompt om plaats te maken voor de fabrieken die na haar dood waren gebouwd. Zij was ook door iedereen uitgelachen, ook al had ze juist geprobeerd hen te helpen.

Misschien zou ik ook wel kwaad zijn als ik in hun schoenen stond. Misschien hadden ze al die tijd allebei wel gelijk gehad.

De klok in de gang tikte luid en opgewekt.

Ik stond op en ademde met korte, stevige stoten.

Ik pakte mijn spijkerjack en trok mijn gympen aan. Snel wierp ik nog een blik op mama, die op de bank zat en naar de muur staarde.

'Ik ga naar buiten, mam,' zei ik. 'Ik zal proberen rond het middaguur weer terug te zijn, goed?'

'Dat is goed,' zei ze toonloos. 'Tot straks.'

Ik drong langs de toeristen en de hotdogkraam en rende, rende, rende ervandoor.

Hoofdstuk 49

'Wat kom jij doen?' vroeg Neena.

Ik keek naar het gezicht van mijn beste vriendin en ademde diep in. Ze zag er vreselijk uit. Haar huid was heel bleek, haar ogen roodomrand, en het moestuintje op haar hoofd was een puinhoop. Haar tomaatjes waren gebarsten en kapot en de aardappeltjes boven haar oren zagen er schimmelig uit.

Ook droeg ze niet haar gebruikelijke laboratoriumjas, maar een felroze topje met daarop de woorden TOEKOMSTIGE PRINSES in glitterletters. Het is dat ze me aankeek met haar ernstige donkerbruine ogen en ik het herkenbare korstje boven haar wenkbrauw zag zitten, anders zou ik gedacht hebben dat ze heel iemand anders was.

Ik keek langs haar de donkere gang in. 'Zijn je ouders thuis?'

'Die zijn aan het werk,' zei ze zacht. 'Maar wat kwam je doen?'

'Ik wilde mijn verontschuldigingen aanbieden. Dat heb ik nog niet als zodanig gedaan – die berichtjes tellen niet. Dat snap ik nu ook.'

Neena keek me uitdrukkingsloos aan; haar bruine ogen verraadden niets.

Ik probeerde het nogmaals. 'Ik voel me vreselijk over wat ik gezegd heb. Ik had je geen schaduw moeten noemen.'

Ze haalde haar schouders op en keek naar de grond. 'Het zal wel.'

'Neena,' zei ik. 'Je had gelijk. Ik ben de laatste tijd geen erg goede vriendin geweest. Ik dacht alleen maar aan mezelf. Ik was zo geobsedeerd door braaf zijn dat het alle andere dingen verdrong.'

Ze knipperde, en ook al leken haar bruine ogen nu wel te reageren, ze hield haar hand nog steeds op de deurkruk alsof ze de deur elk moment in mijn gezicht kon dichtslaan.

Ik keek haar aan, haalde nog eens diep adem en zei: 'Meneer Grittelsnert probeerde ons inderdaad te hersenspoelen. Hij wilde gewoon dat we het tegen elkaar zouden opnemen, dat we zouden strijden om wie zich het best aan zijn stomme regels kon houden. Hij gaf nooit iets om wat wij nodig hadden. En je had gelijk toen je ons speelveld wilde redden. Had ik je petitie maar ondertekend. Agatha Wonderlingh zou trots op je zijn geweest. Maar niet zo trots…' Mijn stem begon te beven, maar ik ging door. '…niet zo trots als ik. Ik ben er trots op dat je mijn beste vriendin bent… als je dat tenminste nog steeds wilt zijn.'

Ze keek al iets blijer, maar nog steeds had ik het gevoel dat er iets mis was.

'Oké,' zei ze. 'Dat zou ik fijn vinden.'

Ik voelde de opluchting zo zoet als honing door mijn aderen glijden. Ik stak mijn voet meteen in de deuropening om er zeker van te zijn dat ze zich niet zou bedenken.

'Geweldig! Wat wil je gaan doen? Zullen we de schuur in duiken? Mag ik een labjas lenen? Heb je nog een reserve voor me?'

Ik zag een rimpeling van pijn op haar voorhoofd verschijnen, en haar mondhoeken zakten omlaag alsof iemand de stop uit haar gezicht had getrokken. 'Nee, niet meer.'

'O, grote goden,' zei ik.

'Ik weet het,' zei Neena.

Neena's rommelige, stoffige schuur vol spinrag was compleet getransformeerd. Haar bureau was opgepoetst. De vloer was geveegd. De afvalbak geleegd. En alle wetenschappelijke spullen die Neena door de jaren heen had weten te verzamelen waren weggegooid.

In plaats van proefbuisjes stonden er rollen crêpepapier in diverse kleuren. In plaats van een poster van het periodiek systeem hingen er afbeeldingen van eenhoorns. Haar wetenschappelijke tijdschriften en bladen van over de hele wereld waren vervangen door doosjes met linten en lovertjes. De gevaarlijke berg aangekoekte bekers had plaatsgemaakt voor een plastic bak met vakjes.

'Wat zit daar nou in?' vroeg ik geschrokken.

'Glitterlijm en viltstiften,' zei Neena. 'Voor als ik in een creatieve bui ben.'

'Waar is je ingelijste poster van Helen Sharman?' vroeg ik verbijsterd. Helen Sharman is een scheikundige, een astronaut en ook de eerste Britse burger die in de ruimte is geweest. Neena verafgoodde haar; die poster hing er al zo lang als ik me kon herinneren.

Stilletjes wees ze naar de poster boven het lege bureau. Waar Helen Sharman ooit had gehangen, hing nu een afbeelding van een kitten naast een paar cupcakejes, met daarbij de tekst BLIJF KALM EN ORGANISEER EEN THEEPARTIJTJE.

'Allemachtig,' zei ik.

'Vertel mij wat,' zei Neena. 'Ze hebben ook mijn hele garderobe vernieuwd.' Vol afgrijzen plukte ze aan haar TOE-

KOMSTIGE PRINSES-shirt, alsof ze er spontaan uitslag van kreeg. 'En papa wil de schuur morgen een behangetje geven. Hij heeft er eentje uitgekozen met olifantjes in glittertutu's.'

'M-Maar... w-waarom?' stamelde ik niet-begrijpend.

Ze schonk me een zwakke grijns. 'Nou ja, toen ons verhaal de kranten had gehaald en ze ontdekten dat ik deels verantwoordelijk was voor woekerkop, gingen mama en papa door het lint. Ze zeiden dat het nu echt meer dan genoeg was. Ze zeiden dat wetenschappertje spelen me naar het hoofd was gestegen, en dat het tijd werd dat ik me ging gedragen als een normaal meisje. En toen meneer Grittelsnert belde om ze te vertellen over de petitie tegen de examenzaal, waren ze echt woest.'

Van schaamte liet ik mijn hoofd hangen. Ze keek me aan met een blik die zowel vriendelijk als kwaad was – iets waarvan ik dacht dat alleen mama dat kon.

'Ze zeiden dat het niet aan mij was om een autoriteit in twijfel te trekken. Dus hebben ze al mijn spullen naar het grofvuil gebracht, en...' Haar stem stierf weg, maar ze hief haar hoofd op en zei: 'Zodoende dus. Ik ben nu al drie dagen met wc-rollen aan het knutselen.' Haar gezicht verraadde haar ellende. 'Blijkbaar gaat het erom dat ik mijn handen iets te doen moet geven. Ze denken dat als ze me maar weten bezig te houden met allerlei glinsterende glitterdingen, ik uiteindelijk niet meer aan wetenschappelijke dingen zal denken.' Haar gezicht was grijs. Geen wonder dat haar groenten er half verrot uitzagen. Het ging niet goed met haar.

Mijn hoofd tolde. 'O, Neena, het spijt me zo. Dit is allemaal mijn schuld. Had ik die zaadjes maar niet gevonden... Had ik je maar niet meegesleurd naar Wonderlinghs tuincentrum...'

'Nee!' Ze onderbrak me met iets van haar gebruikelijke passie in haar stem. 'Dat moet je niet zeggen. Ik heb er totaal geen spijt van. Het is vreselijk dat ik al mijn scheikundespullen en mijn lab kwijt ben, maar de Zonderlinge Zaadjes te zien groeien en zich verspreiden was het spannendste experiment van mijn hele leven. Het was ongelooflijk om ze te zien ontwikkelen. Alles, zelfs dit...' En ze gebaarde naar haar shirt. '...was het waard. Ik ben er trots op dat ik onderdeel mocht zijn van Agatha Wonderlinghs wraak.'

We keken elkaar nog een poosje aan, en toen deed ik een stap naar voren en gaf ik haar de grootste, stevigste knuffel ooit.

We bleven een poosje stil in de schuur voor onzinnig knutselwerk, maar ineens bedacht ik iets. Ik liet haar weer los.

'Heb je je notitieboekje nog? Waar je ons experiment in hebt beschreven?'

'Ja, dat heb ik onder mijn bed verstopt nadat ik van school was gestuurd. Hoezo?'

'Ik denk dat het tijd wordt dat ik het ook eens lees, vind je niet?'

Hoofdstuk 50

Enige tijd later keek ik op van het notitieboekje en ik staarde Neena vol verbijstering aan.

'Ik snap hier helemaal geen snars van,' zei ik. 'Zou je het nog even kunnen uitleggen met simpele woorden?'

Ze grijnsde. 'Oké. Nou, ik was er dus van overtuigd dat het antwoord op de kracht van die Zonderlinge Zaadjes in de grond moest zitten. Toen Sid ons over Kersenbloesemvreugd vertelde, zei hij dat mensen vroeger geloofden dat het land magisch was. Ik had een gevoel dat er dus iets aan de grond moest zijn wat ánders was, maar wat? Dat moest ik dus op een of andere manier testen. Dus die dag dat we ontkiemden en jij ervandoor rende en ik bij Sid bleef, begon mijn onderzoek pas echt. Ik had namelijk een theorie, weet je.'

‘Echt waar? Welke dan?’ vroeg ik.

‘Nou, als het tuincentrum al bestond in de tijd van Agatha, en al haar nakomelingen het hadden beschermd tegen de familie Valentini, dan moest de aarde daar van dezelfde grondsoort zijn als in Agatha’s tijd.’

‘Je bent geniaal,’ verklaarde ik.

Bescheiden hield ze haar hoofd schuin. ‘Ik heb wat grond uit een modderige plek op het pleintje meegenomen. En ik heb de bus naar West-Bouwval genomen om daar ook een grondmonster te nemen.’

‘Waarom?’

‘Ik had een controlemonster nodig – iets om het mee te vergelijken.’

Ik keek omlaag naar de bladzijde die ik aan het lezen was. *Ik heb elke avond over mijn microscoop gebogen gezeten, en na slechts vijfentwintig uur testen had ik iets zeer interessants ontdekt over de aarde uit Kersenbloesemvreugd.*

Ik keek op.

Neena knikte me bemoedigend toe.

Ik las verder. *Vergeleken met het controlemonster zaten er gemiddelde waarden van stikstof, humus en fosforhoudend kalium in mijn proefmonster, maar het bevatte ook een extra ingrediënt. Iets wat nog nooit ergens in de aarde is aangetroffen.*

Weer keek ik op.

Neena zat er heel stilletjes bij en sloeg me gade. 'Lees maar door,' spoorde ze me aan.

Ik liet mijn ogen over de bladzijdes gaan en sloeg de stukken over die ik toch niet helemaal begreep. *Onafhankelijke variabele... hypothese... vrijwillig een bloedmonster afgenomen van de laatst levende afstammeling...* Er was een foto van Sid die vriendelijk naar de camera lachte. *Referentiemateriaal... resultaten...*

Op de allerlaatste pagina stond één simpel woord: CONCLUSIE. Daaronder had Neena in haar slordige handschrift geschreven: *Het proefmonster dat afkomstig is uit de originele Kersenbloesemvreugd-grond bevatte sporen van oxytocine.*

Fronsend keek ik haar aan. 'Wat is dat?'

Neena haalde diep adem. 'Oxytocine,' begon ze, 'is iets wat mensen in hun lichaam hebben. Ouders voelen het als ze naar hun baby's kijken. Vrienden voelen het wanneer ze elkaar omhelzen. Het is behoorlijk krachtig spul, ook wel bekend als het knuffelhormoon.'

Ik merkte dat ze naar iets groots toewerkte, maar mijn vermoeide brein hinkte ergens ver achter haar aan en smeekte me even te mogen pauzeren om uit te rusten en wat fruit te eten.

'Dus?' vroeg ik uiteindelijk.

'Er zit liefde in de aarde. Echte, waarneembare, meetbare liefde. Op een of andere manier is het de familie Wonderlingh gelukt de oxytocine in het land om hen heen te stoppen, waardoor alles sneller, krachtiger en beter groeide dan elders.'

'Maar hoe kwam die okkie... ozzie...'

'Oxytocine?'

'Ja, dat. Hoe kwam dat dan in die grond terecht?'

'Dat deed de familie Wonderlingh zelf. Ze gaven het door aan de aarde door het contact met hun huid. Dat is toch wonderlijk? Elke keer dat ze iets van groente opgroeven of bloemen plantten of op het veld speelden, trok hun liefde voor het land door hun huid heen de aarde in.'

Ik staarde haar aan met het idee dat ze me iets vertelde wat zo reusachtig was dat ik het net niet helemaal kon bevatten.

Ze knikte licht, alsof ze begreep dat ik me overrompeld voelde. 'Ik heb Sid zelfs wat aarde uit West-Bouwval laten aanraken om mijn theorie te testen. En dat is dus het gekke, Bloem. Toen ik de aarde uit West-Bouwval opnieuw testte, nadat hij die had aangeraakt, trof ik een heel klein spoor van oxytocine aan. Hij had de chemische samenstelling van de aarde veranderd door die alleen maar aan te raken! Zijn emoties zijn letterlijk doorgedrongen in de aarde!'

Ik voelde mijn hart in mijn borst tekeergaan. Alles werd ineens heel stil.

'Dus,' zei Neena langzaam, alsof ze doorhad dat ik even wat tijd nodig had om te kalmeren, 'Sid vertelde me dat volgens de legende Agatha de zaadjes in 1904 heeft begraven, toen ze negenentachtig was. Wat betekent dat ze honderdvijftien jaar begraven hebben gelegen in aarde uit Kersenbloesemvreugd, onder jouw terras. Het gevoel van verraad dat Agatha ongetwijfeld in de zaadjes gestopt zal hebben, is elk jaar sterker geworden. En toen jij de zaadjes en Agatha's troffel samenbracht in deze schuur, heb je op een of andere manier die kracht bevrijd.'

Neena staarde naar de kitten aan de muur en zei stilletjes: 'En dat is het wel zo'n beetje.'

Ik staarde haar aan. 'Neena, jouw onderzoek… dit experiment… wil je soms zeggen dat wat we voor het land om ons heen voelen echt letterlijk de aarde in gaat?'

'Niet in ons geval. Nog niet. Alleen bij de familie Wonderlingh tot nu toe. Ik heb mezelf getest en nadat ik diverse grondmonsters had aangeraakt, was er niets gebeurd. Er zat geen oxytocine in.'

'O,' zei ik teleurgesteld.

Ze grijnsde. 'Maar dat wil niet zeggen dat het niet alsnog kan gebeuren. Als diverse generaties van de familie Wonderlingh het konden, denk ik dat het opnieuw moet kunnen. Ik denk alleen ook dat we daarvoor heel erg ons best moeten doen.'

'Maar… hoe is het Agatha dan gelukt om die zaadjes alleen op ons hóófd te laten ontkiemen?'

‘Geen flauw idee,’ zei Neena grijnzend. ‘Ik heb helemaal niets kunnen ontdekken.’

We keken elkaar aan.

Buiten kirde zachtjes een duif.

Opeens dacht ik weer aan mijn moeder. Ik vond het geen prettig idee haar al te lang alleen te laten met die journalisten voor de deur die haar op de kast joegen.

‘Kom mee,’ zei ik, en ik greep Neena’s hand.

‘Waar gaan we heen?’

‘Naar huis. Ik moet even bij mama gaan kijken.’

Neena liet haar hand tussen de rotte tomaatjes door glijden die van haar hoofd bungelden, en keek omlaag naar haar shirt. ‘Geef me een tel om me om te kleden. Ik ga echt niet van huis met dit ding aan.’

Hoofdstuk 51

Onderweg naar mijn huis waarschuwde ik Neena voor de menigte die zich voor Huize Welgemoed had verzameld. 'Gewoon je hoofd omlaag houden en doorlopen.'

Maar toen we aan het begin van de straat stonden, was er geen menigte meer om doorheen te lopen. Iedereen was weg. De hotdogkraam, de gids van Woekerkoptours, de Colin Klikaas-fanclub… iedereen was verdwenen. Het enige wat overbleef waren wat bandensporen en een heleboel lege koffiebekers. Ik had opgelucht moeten zijn, maar in plaats daarvan bekroop me een angstig voorgevoel en gleed er een rilling over mijn rug.

Net toen ik mijn sleutel in het slot wilde omdraaien, zag ik de tiener in de zwarte hoody frunniken aan een fietsketting om een lantaarnpaal.

‘Waar is iedereen?’ riep ik naar hem.

Hij keek om en trok een wenkbrauw op toen hij me zag. ‘O, nú wil je praten?’

‘Waar zijn ze naartoe?’ vroeg ik. Opeens leek het me belangrijk om het antwoord te horen.

Hij haalde zijn schouders op en stapte op zijn fiets. ‘Terug naar de Kweekvijver,’ zei hij terwijl hij zich afzette.

‘Waarom?’ vroeg ik verbaasd.

‘Blijkbaar heeft iemand een remedie voor woekerkop ontdekt,’ riep hij nog over zijn schouder. ‘En die zou daar op hen wachten. Iedereen is erachteraan om verslag te doen.’ Toen was ook hij weg.

Neena en ik wisselden een blik.

‘Een remedie?’ zei ze, en het klonk teleurgesteld.

‘Wacht hier, dan haal ik mama,’ zei ik.

Ik deed de voordeur open, rende de zitkamer in en schudde mama wakker.

‘Blijvvammeaf,’ zei ze loom. Haar boom hing slap en moedeloos rond haar hoofd.

Ik schudde haar opnieuw.

‘Word wakker, mam,’ spoorde ik haar aan. ‘Iemand heeft een remedie gevonden!’

Dat had het effect waar ik op hoopte. Ze sprong met stralende ogen op van de bank.

‘Een remedie?’ Ze hapte naar lucht. ‘Een echte remedie?

Dat is geweldig! Dan krijgen we ons gewone leventje weer terug. En ik mijn haar! Misschien kan ik mevrouw Molensteen wel overhalen om me weer aan te nemen bij Chillz, dat hou ik heus nog wel een paar jaar langer vol. Op die manier kan ik de rekeningen betalen, en daar is niets mis mee...'

Mijn moeder sprintte de trap op om zich aan te kleden.

Vijf minuten later liepen we door de onderdoorgang naar het schoolhek toe. Waar ooit hele groepen snikkende kinderen en verontruste ouders hadden gestaan heerste nu een feeststemming. Kinderen en volwassenen liepen opgewonden rond met breed lachende gezichten. Enkelen deelden handtekeningen uit aan de toeristen en poseerden voor de fotografen. Iedereen lachte, liep ongeduldig heen en weer, en overal hoorde ik mensen fluisteren: 'Een remedie! Een genezing!'

Ze waren zo gespannen dat zelfs hun vuile blikken naar ons toe iets van enthousiasme verraadden. We wandelden met z'n drieën om het betonnen plein heen en toen zag ik het.

Een gigantisch snel in elkaar gezet houten podium, vlak naast de nieuwe examenzaal. Boven het podium hing een spandoek met daarop in koeienletters:

BEN JE BESMET MET WOEKERKOP?
BEN JE HET ZAT OM NAGESTAARD TE WORDEN?
WIL JE ER WEER NORMAAL UITZIEN?

SLUIT DAN NU AAN IN DE RIJ VOOR

EEN DOSIS GROEI-STOP.

(Octrooi aangevraagd.)

En daaronder, in kleinere letters, stond:

SLECHTS 10 EURO PER PERSOON
ALGEMENE VOORWAARDEN ZIJN VAN TOEPASSING

Met daar weer onder, in nog kleinere letters:

BIJWERKINGEN ZIJN PERMANENT EN MOGELIJK ONCOMFORTABEL

En dáár weer onder, in nóg veel kleinere letters, stond:

ER WORDT GEEN GELD TERUGGEGEVEN

En naast het houten podium stond een grote betonmolen.

Hoofdstuk 52

De mensen begonnen zich voor het podium te verzamelen. Ze reikhalsden en vroegen zich af wie de verlosser was die het magische middel had ontdekt waardoor iedereen weer normaal zou worden. Wij werden met z'n drietjes tot ergens midden in de massa geduwd.

'Dit voelt raar,' zei Neena zacht.

Ik begreep wat ze bedoelde. Maar aan de andere kant was dit toch juist het wonder waarop we zo hard hadden gehoopt? Agatha had woekerkop bedacht als wraak, dus zou ik me toch even blij moeten voelen als alle anderen dat alles binnenkort weer gewoon was zoals het hoorde te zijn?

Om ons heen werden mensen steeds rustelozer en onrustiger. Een paar van hen snuften en kermden van pijn. Naast me viel een volwassen man flauw op de grond. Dat kon maar één ding betekenen: Chrissie was gearriveerd.

Mijn akelige voorgevoel werd sterker. Enkele seconden later liep ze het podium op, gekleed in een chic blauw jurkje, met een bijpassende blauwe tulband die strak rond haar hoofd gewikkeld zat. Meneer Grittelsnert liep achter haar aan en pulkte wormen uit zijn neus. Chrissies vader was de laatste.

Naast me gaf mijn moeder een kneepje in mijn hand. 'Ik vraag me af wat de remedie is, lieverd,' fluisterde ze. 'Ik kan niet wachten tot dit allemaal weer voorbij is, wat jij? Dan kun jij weer naar school en ik weer naar mijn werk... Zo heel erg was het tot nu toe toch niet? Niet elke verandering is meteen een verbetering. En dan kun jij weer afgekeurde pizza's eten.'

Ik slikte een opkomende golf van misselijkheid weg. Ik zou nooit meer zo'n pizza eten. Die werden gemaakt door een stel machines die mijn moeder haatte. En nu stond ze op het punt gewoon weer terug te gaan met een hoofd vol versplinterde dromen.

Op het podium schraapte Chrissie haar keel. 'Dames en heren, jongens en meisjes,' kondigde ze aan. 'Dit waren verschrikkelijke tijden, daar twijfelt niemand aan.'

'Maar dan ook echt niemand,' bevestigde Bella.

'We zijn bespot. We zijn uitgelachen. We zijn de freaks van

het land geworden. We zijn het hoofd verloren, ons haar verloren, onze waardigheid verloren.'

'Schiet een beetje op, schat,' zei Chrissies vader, die achter haar heen en weer liep. Er was iets vreemds aan hem. Als hij praatte, bewoog zijn mond wel, maar de rest van zijn gezicht niet. Zijn voorhoofd werd helemaal naar beneden gedrukt en hij zag er vreemd genoeg uitdrukkingsloos uit, alsof hij de spieren van zijn gezicht niet naar behoren kon bewegen.

'Dames en heren, u hoeft niet langer in angst te leven,' zei Chrissie. 'Stop uw tranen. Stop de groei. Graag stel ik u voor aan de man achter Valentini Bouw en de verlosser van de dag: Ruud Valentini!'

De mensenmassa barstte los in een applaus.

Chrissies vader ging midden op het podium staan. Hij probeerde te glimlachen, maar de helm op zijn hoofd zat zo strak dat alleen zijn mondhoeken kort bewogen.

'Laten we meteen spijkers met koppen slaan. Deze ziekte is een absolute nachtmerrie, nietwaar?'

Er golfde een kreun van instemming door de menigte.

'Ik weet dat jullie allemaal de wanhoop nabij zijn. Er is schijnbaar niets wat werkt tegen woekerkop. De artsen weten niet wat ze moeten doen. De school heeft geen idee. En jullie zelf weten het ook niet, hè?'

Vlak voor me bewoog de gastheer van een bos verwelkte bloemen en planten droevig ritselend op en neer.

‘Maar ik heb dé oplossing die woekerkop eens en voor altijd de *kop* kan indrukken.’

De mensen hapten naar lucht.

‘Vertel! Vertel!’ riep iemand hard.

Meneer Valentini gebaarde trots naar de betonmolen naast hem. Hij knikte een man in een lichtgevend jasje toe die ernaast stond. Die zette een schakelaar om en met een oorverdovend gebrom en een luide *kloenk* kwam de mixer tot leven en begon hij langzaam te draaien. Meneer Valentini keek vertederd naar de machine, alsof het zijn eerstgeboren kind was, en draaide zich daarna weer naar ons toe. ‘Water, granulaat, cement,’ zei hij liefdevol.

‘Huh?’ zei iemand in het publiek.

‘Als je dat allemaal vermengt, krijg je beton,’ legde meneer Valentini uit. ‘Heerlijk, stevig, zwaar, natuurbedekkend beton. Daar komt niets onderuit. Als je van je woekerkop af wilt, is beton de oplossing. Ik heb het zelf geprobeerd,’ zei hij, wijzend naar zijn hoofd. ‘En zoals je ziet heeft geen enkel beetje groen het overleefd.’

Het was dus geen helm. Meneer Valentini had zijn eigen beton op zijn eigen hoofd gegoten. Dat verklaarde waarom hij er zo ineengedrukt, warm en merkwaardig levenloos uitzag.

‘Mijn voorouders en ik storten al meer dan een eeuw lang duizenden kilo’s beton uit over het land,’ zei hij. ‘En daar hebben we mooi aan verdiend ook, zal ik je zeggen! En ik twijfel er niet aan, dames en heren, dit is de remedie waar jullie op hebben gewacht!'

'Hoe werkt het?' schreeuwde iemand.

'Ik giet het rechtstreeks vanuit de betonmolen op je hoofd met behulp van deze trechter,' verklaarde hij plechtig, en hij hield een simpel plastic trechtertje omhoog. 'Dan hoef je het alleen nog maar te laten uitharden.'

Meneer Valentini, Chrissie en meneer Grittelsnert keken zelfingenomen uit over de menigte.

'Goed. Dus. Wie gaat er als eerste?' vroeg meneer Grittelsnert.

De mensen om me heen zoemden bijna van opwinding en er schoot een heel bosje handen de lucht in. Toen de betonmolen luider leek te ronken, zakten enkele handen zenuwachtig weer omlaag.

'Jij mag eerst,' zeiden de mensen tegen elkaar.

'Nee, nee, ik sta erop,' zei weer een ander. 'Na jou.'

Meneer Valentini maakte een afkeurend geluidje. 'Kom, kom,' spoorde hij hen aan. 'Ik heb niet de hele dag de tijd. Ik moet om vier uur vanmiddag nog een gemeenschapstuin platwalsen in een naburig dorp.'

Een verlegen stem achter in de massa zei: 'Ik ga wel eerst.'

'Aha!' zei meneer Valentini. 'Onze eerste klant! Maak even ruimte voor de jongen. Laat me je eens bekijken. Je hoeft nu niet meer zo droevig te zijn, jongeman.'

De mensen weken opzij en naarmate de jongen dichter bij het podium kwam, zag ik tot mijn ontzetting dat het Bram was. Hij zag er inderdaad nogal zielig uit. Afgezien van de gloeiende blos op zijn wangen had hij een bleke huid en de muurbloemen boven op zijn hoofd waren zo bruin en dor geworden dat het net twijgjes leken. Bram liep het trapje naar het houten podium op en bleef daar staan. Nerveus keek hij uit over de mensen en krabde hij aan zijn gezicht.

'Heb je een hekel aan dit uiterlijk, knul?' blafte meneer Valentini.

Bram knikte, en de twee mannen glimlachten goedkeurend. Het was een angstaanjagend gezicht.

'Vind je je hoofd belachelijk, knul?'

Bram knikte opnieuw.

'Schaam je je om gezien te worden met die bloemen op je hoofd? Wat jij nodig hebt is een mooie, stevige, massieve betonhelm. Dat is een stuk mannelijker, nietwaar? Misschien knap je er nog van op ook,' zei meneer Valentini. 'Ga zitten, jongen.'

Hij wees naar een kruk op het podium en Bram nam plaats. Het was net toekijken terwijl iemand zich voorbereidde op zijn eigen executie; ik verwachtte half dat Bram nu zijn laatste woorden zou uitspreken. Maar Bram zei niets, en staarde slechts met vuurrode wangen naar de grond.

Na een knikje van meneer Valentini draaide de man in het

lichtgevende hesje en met een bouwvakkershelm op de betonmolen meer naar Bram toe, die zijn ogen nu dichtgeknepen had en zenuwachtig slikte. Het gezoem en gekloenk en geschraap van het beton binnen in de mixer werd steeds luider. Daarna kantelde de tank naar voren en zagen we de dikke, grijze smurrie erin ronddraaien.

Sommige mensen begonnen te klappen.

Binnen een paar seconden zou dit spul op Brams hoofd zitten en zou het er net zo uitzien als dat van meneer Valentini. Vanboven grijs, en vanonder verkreukeld.

Ik haalde diep adem en snoof een zwakke geur op van de ontsproten hoofden om me heen die hun laatste minuten in bloei stonden. Het was een zoete, rokerige geur van bloemen en planten en varens en groeiende, levende dingen.

Mijn hersens begonnen te malen. In gedachten zag ik de vrouw met de lachende ogen, die iets in een grasveld plantte waarvan ze hield. Iets wat sinds die tijd werd genegeerd, ongeliefd bleef en helemaal gesmoord werd in beton, zodat het nooit meer echt goed kon groeien.

KRAAK. KRAAK.

Hoofdstuk 53

Met de precisie van een hersenchirurg hield meneer Valentini de trechter behoedzaam boven Brams hoofd. 'Ogenblikje nog, knul,' zei hij kortaf.

Bram keek ellendig op en gaf hem een voorzichtig glimlachje.

Een dikke, slibachtige stroom beton kroop omlaag door de trechter naar zijn hoofd.

Vreemde en verontrustende herinneringen aan de afgelopen week begonnen nu als een malle door me heen te gieren, alsof ik heel snel meedraaide met het carrousel van mijn leven.

ZOEF!

Mama's afgekloven vingernagels.

ZOEF!

Geef gehoor aan gehoorzaamheid.

ZOEF!

Geen wonder dat Blom zo is geworden...

ZOEF!

Het was een en al platteland, groen en wild...

Mijn huid begon te prikken. Misschien moesten we juist níét terug naar normaal. Misschien werd normaal heel erg overschat. En misschien waren al die vreselijke dingen die zich in Kersenbloesemvreugd hadden afgespeeld nog geen voorbije geschiedenis – misschien gebeurden ze nog stééds. Julius Valentini had Agatha haar groene wereld afgenomen en onze hele stad was door die diefstal getekend.

En elke dag dat we daar niets aan deden, gingen we er een beetje zwaarder onder gebukt.

Mijn hart begon sneller te kloppen. Wat was het ook alweer dat Neena me ooit had gezegd? *De strijd is pas gestreden wanneer je dat gelooft.*

Iemand in de menigte schreeuwde: 'STOP!'

Mama en Neena staarden me aan met een verbaasde blik, en toen pas besefte ik dat ik degene was die het geschreeuwd had.

Ik deed het nog maar eens, voor de zekerheid. 'STOP!'

Ik liet mijn moeders hand los en baande me een weg door de menigte naar voren, waar ik het trapje naar het podium op rende en voorbij een hevig protesterende meneer Valentini liep. Ik haastte me naar de betonmolen en zonder verder na te denken zette ik de schakelaar weer om. Er klonk een kreun en een protesterend gebrom, gevolgd door een *floemp*. Daarna viel de betonmolen stil. De trechter kletterde op de grond en miste Bram maar op een haartje.

Het bleef doodstil achter me en ik draaide me om naar het publiek.

'Zij is het! Dat meisje dat dit alles op haar geweten heeft!' riep een boze vrouw met stekelige cactussen op haar hoofd.

Mensen sisten en joelden me uit.

'Je moest je schamen,' riep ergens iemand.

Ik keek uit over een zee van kwade gezichten en verwelkte hoofden en zag Colin Klikaas grijnzend naar me kijken. Wat moest ik nu doen? Misschien had ik hier eerst over na moeten denken. Een paar aantekeningen op een papiertje waren nu heel handig geweest. Maar de buis in mijn hersens die normaal gesproken voor de aanvoer van woorden zorgde leek nu verstopt. Misschien wist mama een manier om hem weer vrij te maken. Ik keek haar wanhopig aan.

'Ga van dat podium af, Blom Akkerman. Jij hoort niet thuis op deze school,' zei meneer Grittelsnert.

Mijn ogen vonden die van Neena. Ze grijnsde me toe en gaf een bemoedigend knikje. Dat was voldoende.

Ik ademde diep in en deed mijn mond open. 'Nou, meneer Grittelsnert, dat ziet u toch echt verkeerd.'

Er werd hoorbaar naar lucht gehapt.

Iemand fluisterde: 'De brutaliteit!'

'Ik hoor hier wel degelijk. Ik ben degene die verantwoordelijk is voor wat wij allemaal hebben gekweekt. Maar laten we bij het begin beginnen. Ik ben Bloem. Zo heet ik dus. Geen Blom, geen Sneubloem. Mijn moeder heeft me Bloem genoemd. Dus vanaf nu mag u mijn echte naam gebruiken. En dat geldt ook voor jou, Chrissie.'

Chrissie staarde me met grote ogen aan en ik bleef haar aankijken tot ze haar blik neersloeg en besloot haar schoenen te bewonderen.

Dat was ook voor het eerst.

Weer ademde ik diep in en uit. 'De kranten hadden gelijk. Ik heb dit veroorzaakt.'

De menigte reageerde geschokt. De verslaggevers trokken meteen hun notitieboekjes en pennen tevoorschijn en maakten verwoed aantekeningen.

Een licht briesje streelde de bloemen op mijn hoofd en ze dansten in antwoord.

'Maar ik heb daarvoor niets uitgevonden in Neena's schuur. Wat er werkelijk gebeurde was dat ik een envelopje met Zonderlinge Zaadjes vond in mijn achtertuin. Die zaadjes heb ik op mijn hoofd en dat van Neena en van mijn moeder uitgezaaid. Ik had geen enkele invloed op hoe snel ze zich verspreidden en groeiden. Ik kon niets doen om het tegen te gaan. Ik weet dat jullie geloven dat je leven is verziekt.

Ik weet dat jullie het zat zijn dat toeristen naar jullie staren, ik weet dat jullie je oude kapsel missen en dat niemand het leuk vindt om er zo anders uit te zien. Dat weet ik allemaal en voor al die dingen bied ik mijn verontschuldigingen aan.'

'Zonderlinge Zaadjes? M'n neus!' mopperde iemand, en er verspreidde zich een gemeen lachje door de menigte vlak voor me.

Ik moet beter mijn best doen om ze te overtuigen. Wat moet ik nou zeggen? Waar moet ik beginnen? Misschien maar met de waarheid.

'Maar jullie weten nog niet alles. Er is iets waarover de verslaggevers níét hebben geschreven. En dat is de vrouw die de Zonderlinge Zaadjes heeft gemaakt. Agatha Wonderlingh.'

Meneer Valentini begon extra hard te schateren, alsof hij me wilde overstemmen, en heel even aarzelde ik. Maar het briesje op mijn huid voelde alsof iemand me wilde aanmoedigen, dus probeerde ik het nog een keer, en nu luider.

'Heel lang geleden waren Agatha en haar voorouders de eigenaren van dit land,' zei ik. 'In een tijd dat het hier nog Kersenbloesemvreugd heette. Het was er prachtig, wilde natuur. De mensen die hier woonden hielden van het land. Er waren geen winkelcentra, wedkantoren, parkeertorens, speelgoedwinkels vol plastic rommel en peuterspeelzalen zonder ramen. Er waren velden en bossen en een rivier waarin kinderen konden zwemmen.'

'Lariekoek!' riep een stem in het publiek.

'En wat kan ons dat schelen?' vroeg een ander. 'Wat is er mis met winkelen en parkeren?'

Het gebrom en boegeroep werd luider, net als meneer Valentini's vreselijke neplach, alsof hij het gejoel daarmee opzweepte. Mijn wangen voelden heet. Ik drong niet tot hen door. Ik zette mezelf voor schut, en mama ook. *Misschien moet ik maar gewoon gaan.*

Ik keek even naar het trapje dat me van het podium zou leiden en precies op dat moment blies het briesje wat krachtiger. Ik voelde het langs mijn benen waaien, en dat gaf me extra kracht. Mijn stem klonk bibberig, maar wel luid.

'We móéten ons druk maken over wat er met de rivier en het bos en de graslanden gebeurd is, omdat ze van ons zijn gestólen. En als we dat gewoon laten gebeuren, dan zullen mensen steeds meer van ons afpakken – zoals plekjes in de natuur om te spelen, plekken die we gewoon verdienen. Dan hoeven we niet eens meer onder die trechter te gaan staan, dan zijn we allemaal al in de kiem gesmoord.'

Meneer Valentini vond het duidelijk niets dat hij niet het middelpunt van alle aandacht was. Zijn minachtende, snuivende lachsalvo werd steeds luider en hij gaf me een felle por met een elleboog, alsof hij me opzij wilde duwen.

'Gesmoord? Zonderlinge Zaadjes? Hoe verzin je het? Je kletst uit je nek, schat. Het klinkt allemaal als een heel suf sprookje, verzonnen door een meisje dat beter zou moeten weten,' snauwde hij. 'Echt waar, sommige mensen doen ook alles om in de schijnwerpers te komen, nietwaar? Maar goed, het doet er niet toe, laten we maar gauw verdergaan, even terug naar de manier om alles goed te maken...'

'Ja, wat grappig dat u dat zegt, meneer Valentini,' hoorde ik mezelf met trillende stem zeggen. 'Over goedmaken gesproken. Het was namelijk uw familie die het land vergiftigde, zodat ze het konden afpakken van de vrouw die er zielsveel van hield. Dus als íémand iets goed te maken heeft... dan bent u het wel.'

Meneer Valentini slikte eventjes, al dacht ik niet dat het publiek dat kon zien, maar het gaf mij genoeg moed om door te gaan.

'Dat is toch waar, of niet? De familie Valentini is niet meer opgehouden Kersenbloesemvreugd te vergiftigen sinds...'

'LEUGENAAR!' Dat was Chrissie, met vuurrode wangen. Uit de verbijsterde, geschrokken blik in haar ogen bleek dat ze dat deel van Neena's notitieboekje dus niet had doorgelezen. 'Hoe durf je dat over mijn familie te zeggen? Hoe dúrf je?' Haar stem sloeg bijna over. Ze keek op naar haar vader en opeens leek ze veel jonger dan anders. 'Ze liegt, toch, papa? Dat hebben we toch nooit gedaan? Zeg het haar, papa. Zeg dat ze liegt.'

In die fractie van een seconde die meneer Valentini nodig

had om haar in de ogen te kijken, leek er iets tot Chrissie door te dringen, en haar schouders zakten omlaag.

De toeschouwers waren muisstil.

'Luister, lieverd,' zei hij met de toon van een gefrustreerde peuterjuf, 'dit is allemaal héél lang geleden. Er komt een moment waarop je...' En nu schonk hij mij een venijnige blik. '...dingen moet *loslaten*. Bovendien... het was zakelijk.' Hij hief zijn kin op, alsof hij blij was dat zijn familiegeheim nu eindelijk openbaar was. 'Alles is toegestaan als het gaat om geld verdienen, dat hebben mama en papa je toch altijd geleerd? Jij zou geen pony's en helikopter hebben als die oude Julius niet was begonnen ons familiefortuin te vergaren. Dat is een feit.'

Chrissie staarde alleen maar naar de grond.

Dat leek meneer Valentini tevreden te stellen. Met hernieuwd zelfvertrouwen ontblootte hij zijn tanden in een grijns die me deed denken aan Sids snoeischaar, blinkend in het zonlicht. 'Kunnen we weer verder?'

Aan de gretig knikkende hoofden voor ons zag ik dat het de meeste mensen in onze stad niet kon schelen wat er met Kersenbloesemvreugd was gebeurd. Hoe kun je verdrietig zijn om het verlies van iets wat je nooit hebt gehad?

Alsof ze merkten dat mijn moed begon in te zakken, klapten enkele volwassenen in hun handen in zo'n afgrijselijk langzaam, cynisch applaus.

'Ga weg!' riep iemand. 'Wegwezen!'

'Wacht,' hoorde ik een kleine jongen zeggen. 'Ik wil de rest van haar verhaal horen...'

Maar zijn stemgeluid werd overschreeuwd door anderen die meeschreeuwden: 'BLOEM – WEG! BETONMOLEN – AAN!'

Achter me kwam de betonmolen opnieuw ratelend en ronkend tot leven.

Het zachte briesje zwol abrupt aan.

Hoofdstuk 54

De wind gierde algauw over het asfalt.

Hij pakte van de mensen wat hij maar wilde en floot tussen iedereen door. Bloemblaadjes, groene blaadjes en kleine klompjes aarde vlogen van onze hoofden af door de lucht, regelrecht naar het oog van wat nu een kolkende spiraal was geworden, die rondtolde en zich dwars door de menigte bewoog.

Terwijl we toekeken kwamen al die losse deeltjes samen in de vorm van iets onmiskenbaar menselijks. Het wapperde over de betonnen ondergrond en begon steeds meer te lijken op een slanke, lichtvoetige vrouw. Ik had het gevoel dat het weleens gevaarlijk kon zijn om er recht in te kijken, net als met fel zonlicht, en toch kon ik het niet laten om heel even te gluren. En een seconde lang leek de golvende werveling van blaadjes en aarde zich te schikken in de vage vorm van een gezicht. Ik zag een paar fonkelende ogen en een glimlach die lastig te ontcijferen was, voordat alles weer door tolde en wervelde en onderdeel vormde van de cycloon van bloemen en aarde die om elkaar heen dansten.

En ik wist op een of andere manier dat we ons in het gezelschap van Agatha Wonderlingh bevonden, al was ze ook nog steeds verbonden met iets heel anders. Ze was menselijk en ook meer dan dat; ze was onderdeel geworden van het land waar ze zo van hield.

Het land dat we met maar weinig respect hadden behandeld sinds ze er niet meer was.

Wat zou er nou verkeerd kunnen gaan? Wat leuk dat u bent gekomen!

We waren allemaal met stomheid geslagen door haar verschijning. Praten leek onmogelijk. Meneer Valentini en meneer Grittelsnert zagen lijkbleek. We konden alleen maar staren naar Agatha die zich door de menigte begaf terwijl de natuur binnen in haar ronddraaide als een wanhopig hondje dat veel te lang opgesloten heeft gezeten.

Langzaam beklom haar flakkerende gedaante het trapje van het podium.

Mijn hele lichaam beefde. Ze was overduidelijk nog niet klaar met ons.

Wat als ze een of andere afzichtelijke klimop uit ons hoofd zou laten schieten en onze monden zou laten binnendringen, zodat hij zich rond onze belangrijke orgaandingen zou wikkelen en ons aan elkaar zou binden in een klef, groeiend net dat ons langzaam zou verstikken?

Niet dat ik haar op ideeën wilde brengen.

Daar is het ruim te laat voor, vrees ik, sprak haar raspende stem in mijn hoofd. *Vergeet niet dat wij met elkaar verbonden zijn, jij en ik. Ik kan zo af en toe in jouw gedachten kijken – misschien moet je daar vaker bij stilstaan.*

Maar u gaat ons toch niet echt verstikken met de hulp van afzichtelijke klimopplanten?

Even stil, zodat ik kan nadenken, kind. Dit is allemaal nogal een spontane opwelling geweest – ik heb nog niet alles helemaal uitgestippeld.

Oké, maar als u wat tips kunt gebruiken, over met wie te beginnen, bijvoorbeeld, dan zou ik die man daar in dat strakke pak willen voorstellen.

Dat is wel weer genoeg bemoeienis van jou. Ik ben een ontzagwekkende levenskracht – laat mij mijn gang gaan.

Agatha draaide zich naar de toeschouwers toe, die naar lucht hapten en terug staarden en slikten. Camera's flitsten. Kinderen gilden.

Ik weet wat je denkt. Waarom zijn we niet gevlucht? Maar dat ging niet. We waren als aan de grond genageld

– dat is wat doodsangst met je doet. Bovendien hadden we nog nooit zoiets als Agatha gezien. We konden alleen maar staren.

In paniek zocht ik de menigte af, wanhopig op zoek naar een laatste glimp van mama's gezicht voordat een vonnis zou volgen.

'Het spijt me,' vormde ik met mijn lippen naar haar.

Ze schudde haar hoofd en fluisterde iets terug, maar de wind blies haar woorden weg.

Op dat moment tilde Agatha haar wapperende armen op om haar laatste vergelding uit te voeren, en ik liet mijn hoofd hangen. Dit was het dan. We hadden geen spijt betuigd, we waren te weinig veranderd, en nu moesten we daarvoor boeten. Waarschijnlijk zou ze ons allemaal in bomen veranderen: onze voeten zouden vergroeide, knoestige wortels worden die zich diep in de grond zouden graven en dan zouden we voorgoed hier blijven, een bos van gedoemde mensen.

Dat is alweer een geweldig idee, Bloem. Dat kun je zo verkopen aan de andere wraakgeesten, ik kan je wel in contact brengen met een aantal bekenden van me.

Bedankt, dat is een zeer geruststellende gedachte.

Volgens mij bevalt jouw toon me niet.

Agatha tilde haar handpalmen op naar de hemel.

En toen gebeurde er echt iets bizars.

In plaats van afsterven of veranderen in een spruitje, voelde ik iets in mijn hoofd gloeien. Het vogelgezang in de bomen werd luider en vulde mijn hoofd als een enorme, glinsterende golf die mijn gedachten overspoelde en alles meenam. Mijn schouders ontspanden. De strakgespannen zenuwen die aan mijn ingewanden trokken waren op slag slap.

Ik ademde uit. Ik ademde in. De lucht die mijn lichaam vulde voelde als kleine kristallen van de puurste zuurstof, zoeter en schoner dan ik ooit had geproefd.

Ik ademde uit. Ik ademde in. Die golven spoelden op en neer tegen de kust van mijn geest. Het voelde alsof ik onderdeel was van de wereld, en die op zijn beurt weer onderdeel vormde van mij.

Wat voel ik? vroeg ik haar.

Het is te groots voor een etiket.

Het is nogal overweldigend.

Dat kan wel kloppen, zeker in het begin.

Na een blik op de verbijsterde gezichten vlak voor me realiseerde ik me dat iedereen het voelde. Was dit soms die oxydinges waar Neena me over had verteld? Was dit alle liefde die de familie Wonderlingh het land in had laten vloeien, jaar in, jaar uit? Had Agatha die op een of andere manier weten mee te nemen, had ze die weer aan ons teruggegeven?

Net toen ik overwoog of ze misschien toch een stuk minder eng was dan ze leek en we haar verkeerd hadden begrepen, wendde ze zich tot meneer Valentini.

Hoofdstuk 55

Zijn opschepperige houding zakte meteen in. Zijn onderlip begon te trillen en hij liet zich met uitgestoken handen op zijn knieën vallen. 'Het spijt me,' zei hij met bevende stem. 'Doe me alsjeblieft geen pijn.'

Maar de prachtige, flakkerende vorm naast me schonk hem een angstaanjagende grijns.

Toen ik de doodsbange uitdrukking op Chrissies gezicht zag, stak ik een hand uit om Agatha tegen te houden. Maar ik was te laat. Ze hief haar handen op en strekte en kromde haar vingers in de lucht voor ons.

Er klonk een afgrijselijk krakend geluid. Alsof er ergens iets openbarstte.

Meneer Valentini krijste van pijn en zijn handen vlogen

omhoog. De menigte hapte kreunend naar adem. Maar toen hij zijn handen weer wegtrok, zagen we dat niet zijn schedel was gebarsten, maar de laag beton op zijn hoofd, die nu in brokjes rond zijn voeten viel. Uit zijn hoofd staken honderden hemelsblauwe bloemetjes op lange, groene steeltjes.

'Vergeet-mij-nietjes,' zei Agatha.

Meneer Valentini leek net een verwarde scholier toen hij een pluk van zijn nieuwe haar aanraakte.

'Vergeet míj niet,' herhaalde Agatha.

Deze keer keek hij haar aan. 'Ik zal het niet vergeten,' mompelde hij.

'Maak het weer goed,' drong Agatha aan.

Hij knikte, en ze bleven elkaar nog een hele boos doordringend aanstaren.

Een diepe zucht ontglipte Agatha, het soort zucht dat zeer doet, alsof er iets pijnlijks is losgekomen.

Ze kneep in mijn hand. *Je hebt gehoord wat hij zei*, zei ze.

Ik heb hem gehoord.

Het wordt tijd dat ik ga. Nu neem jij het van me over.

Ik gaf Agatha's hand een kneepje terug en de blaadjes en bloemetjes en korrels aarde vielen uiteen. Ze was weg, en toch zat er nog een spoortje van dat gevoel in mij. Vergeleken met de eerdere kracht was het nu slechts een zwakke echo van de wilde, groene kracht die ze was geworden. Maar het was voldoende. Ze had haar licht over ons uitgestraald als een vuurtoren en zo fel geschenen dat een gloed van haar wilde kracht nu ook binnen in ons brandde. Je hoefde maar om je heen te kijken om dat te weten.

We keken elkaar aan in het zachte namiddaglicht alsof we elkaar voor het eerst zagen.

Chrissie liep naar de betonmolen toe en zette hem uit. Daarna schraapte ze haar keel en keek me recht in mijn ogen.

'Chrissie...' begon haar vader.

'Stil,' zei ze tegen hem. Ze wendde zich tot mij. 'Vertel ons alles,' sprak ze vastberaden. 'Vanaf het begin.'

Dus dat deed ik.

Hoofdstuk 56

Enige tijd later stonden mijn moeder, Sid, juffrouw Zonnedauw, Chrissie, Neena en ik in de achtertuin van Huize Welgemoed. We hadden een pneumatische drilboor mee, een vrachtwagen vol tuingereedschap die we bij Tuincentrum Wonderlingh hadden gehaald, de complete ploeg van Valentini Bouw, en het overgrote deel van de Lamineermachines was er ook. Het was nogal krap, daar.

'Oké,' zei de voorman. 'Zet maar aan.'

De drilboor kwam brullend tot leven. Voor de tweede keer in korte tijd zag ik het beton in onze achtertuin breken en splijten, en deze keer maakte het me blij. Toen tegel voor tegel barstte, werd weg getild, en er verse, donkere aarde onder vandaan kwam begonnen we te juichen. De zon werd dik en oranje in de late namiddag terwijl wij het beton de tuin uit droegen en in een grote afvalcontainer voor het huis gooiden.

Uiteindelijk waren er nog maar vier tegels weg te halen. De tegels rond de wortels van de wilgenboom.

Ik liep ernaartoe en legde mijn hand op de ruwe, rode schors. 'Al die tijd dacht ik dat je me bang wilde maken. Maar dat was niet zo, hè? Je zocht gewoon een vriend.'

De bladeren ritselden bij wijze van antwoord in de wind, en ik voelde een diepgewortelde liefde plotseling dwars door mijn hand heen de boom in stromen. De boor brulde opnieuw, en toen de laatste betontegels in de container lagen, gaf Chrissie me een por. Glimlachend zei ze: 'Moet je kijken.'

Ik keek.

Boven aan de wilgenboom straalde een felgroen licht. Het gleed langs de stam omlaag en spoelde de karbonkels, de pijnlijk uitziende uitslag, zwarte schimmelplekken en bulten van de boom af. De verweerde takken en blaadjes zwollen iets op en straalden vol leven. De prachtige, groene wilg stond trots in de stralende lucht.

En er veranderde nog iets anders. Terwijl we toekeken verdween Chrissies paarse aasbloem en werd hij vervangen door een handvol roomkleurige rozen.

Ik ben ook weer geen geméne heks, zei Agatha's stem zacht in mijn gedachten.

We strooiden graszaad uit over de donkere aarde. Daarna brachten we armen vol kleurrijke struikjes, planten en bloemen de tuin in die we bij Tuincentrum Wonderlingh hadden uitgekozen.

We plantten ze in de rijke, korrelige aarde en Sid noemde op wat het waren: 'Lathyrus, speenkruid, korenbloemen, paarse asters en margrieten. Rozen, nieskruid, maartse viooltjes, ridderspoor, vrouwenmantel...'

Ik draaide me om en keek eens goed naar mijn huis. Zelfs van buiten zag het er al anders uit: lichter, helderder. Op een of andere manier wist ik dat de kraan in de keuken niet langer verdrietig zou snikken.

Ik goot een beker thee naar binnen, keek naar mijn vrienden en grijnsde. 'Wat zullen we hierna eens openbreken?'

EEN JAAR LATER

Ik draaide mijn sleutel om in het slot en liep het verlaten huis in. Op pijnlijke voeten sjokte ik naar de keuken en na een zucht van vermoeidheid trok ik mijn overall uit voor ik hem in de wasmachine smeet. Ik veegde de jam van het aanrecht, gooide de theezakjes weg en keek naar het briefje op de koelkast om te zien hoelang mama's dienst duurde.

Daarna liep ik naar boven, trok mijn zwempak aan met daaroverheen een legging en een T-shirt en wandelde naar de achtertuin. Daar ging ik op mijn rug op het zachte, groene gras liggen en ik staarde omhoog naar de ritselende blaadjes van de wilg, denkend aan de drukke ochtend die ik achter de rug had in Tuincentrum Wonderlingh, waar ik 's zaterdags werk.

Als assistent-tuinier breng ik tegenwoordig de meeste weekenden door bij Wonderlingh. Het is er erg druk; de vraag naar planten, struiken, bloemen en zaadjes is opeens gestegen. Als we niet bij de kassa staan of bij de stekjes en nieuwe planten in de nieuwe kassen gaan kijken, geven we cursussen en workshops om mensen te leren hoe ze hun eigen gewassen kunnen kweken én voor hun hoofd moeten zorgen.

Er is ook altijd wel een handjevol toeristen te begroeten, wat op zich prima is, aangezien ze maar al te graag iets doneren voor onze Planten Voor Overal-kraam, in ruil voor een selfie.

Sterker nog, het is zo druk in het tuincentrum dat Sid overweegt meer assistenten aan te nemen. Ik heb ongeveer drie kinderen in gedachten die alle drie al een halfjaar naar de Leer Je Planten Kennen-lessen komen op zondag. Die vinden plaats op het opgefleurde binnenplein, vlak onder de foto van Agatha en haar jonge wilgenboom, die we hebben ingelijst en opgehangen.

Ik rekte me tevreden uit in het zachte gras. Vandaag voelde als een dag voor een feestje. Ik heb pasgeleden de laatste bladzijdes geschreven aan mijn verhaal van wat er in mijn stadje allemaal is voorgevallen. En er is een heel aardige uitgever die er wel een boek van wil maken, zodat iedereen, eens en voor altijd, de waarheid over de Zonderlinge Zaadjes zal kennen.

Mijn gedachten werden onderbroken door het geluid van mijn telefoon, die piepend liet weten dat ik een berichtje had ontvangen. Bijna klaar in het lab. Zie ik je in het café? N x

Ik stuurde een berichtje terug. Ik ben er over een halfuur x

Neena heeft het afgelopen jaar samengewerkt met wetenschappers van de School voor Wetenschappelijke Studies om haar bevindingen op te schrijven en de resultaten van 'Emotionele osmose tussen mens en aarde, met de familie Wonderlingh als levend bewijs' verder te testen. Ze waren zo onder de indruk van haar onderzoek dat de school haar een plaats aangeboden heeft voor als ze achttien is. Haar beroemde gele notitieboekje is afgedrukt in elk medisch tijdschrift ter wereld.

Ze heeft al haar knutselspullen aan de nieuwe handvaardigheidsafdeling op school geschonken. Bram heeft daar voornamelijk de leiding.

Bram heeft zijn fase van slangen tekenen inmiddels achter zich gelaten. Meneer Grittelsnert zou opgelucht zijn om dat te weten, maar niemand weet waar hij is.

Ik hoorde wel dat hij ergens in een ziekenhuis in Bulgarije zou zitten, met speciale ontwormingsexperts die vierentwintig uur per dag met zijn neusgaten bezig zijn. Ik ga ervan uit dat oma Aagje haar grap uiteindelijk wel een keer beu zal worden en hem uit zijn ellende zal verlossen… ooit.

De poster van de kat naast de cupcakejes hangt nu aan de muur van mama's buitencafé.

Neena's vader heeft de schuur nooit meer behangen.

Ik pakte mijn tas en sprong op mijn nieuwe racefiets, maar bleef op de hoofdstraat nog even staan om Chrissie gedag te zeggen.

'Hoe gaat het?' vroeg ik.

'Alles is op schema.' Chrissie grijnsde, haar arm vol met bouwtekeningen.

'Is het al tijd voor de theepauze, lieverd?' riep een stevig gespierde man met een bouwvakkershelm vanaf de hoogste plank van de bouwsteiger naast haar.

'Nog niet, pap,' zei Chrissie. 'Eerst nog een paar uurtjes doorwerken.'

'Goed dan,' zei meneer Valentini, die het zweet met een zakdoek van zijn voorhoofd veegde.

Toen het gedreun van de hamer verderging, schonk ze me een grijns. 'Zie ik je bij de rivier?'

'Ja, tot straks bij de rivier,' antwoordde ik, en ik ging weer verder.

Meneer Valentini had zich meer dan aan zijn belofte gehouden om alles goed te maken, dacht ik terwijl ik over straat fietste en zijn werk aan de gebouwen langs mijn route bewonderde. Hij heeft een nieuw bedrijf opgericht, Valentini Verbouwingen, dat zich specialiseert in de installatie van schuifdaken. En hij installeert ze nog gratis ook.

Alle kantoren, winkels en zowel Chillz als de theedoekenfabriek hebben nu zo'n dak. En alle volwassenen zien er een stuk gelukkiger uit – en veel minder bleekjes.

Hij heeft ook een schuifdak gebouwd voor onze school, nu de Agatha Wonderlingh-school. We maken er op zonnige dagen gebruik van, zodat iedereen het licht op zijn hoofd kan laten vallen terwijl we aan het leren zijn.

Om eerlijk te zijn schuiven we het op bewolkte dagen ook altijd open.

En op winderige dagen.

En regenachtige dagen...

Ja, oké, het dak staat bijna altijd open.

Ons nieuwe schoolhoofd, juffrouw Zonnedauw, is zeer strikt – in haar zorg om onze groei. Als ze ook maar ergens een uitgedroogde bloem, een slaphangende varen of beschimmelde groente ziet, worden we naar onze nieuwe gemeenschappelijke broeikas gestuurd, die is neergezet op de plek waar de examenzaal zou komen. Het is daar echt heerlijk: er zijn hangmatten en iemand heeft sproeistations neergezet, zodat we kunnen relaxen, boeken kunnen lezen op zonnige plekjes en ons hoofd kunnen bewateren.

In haar vrije tijd leidt juffrouw Zonnedauw ook het Kersenbloesemvreugd Herstelteam, dat bestaat uit vrijwilligers. De hele stad doet mee. In het afgelopen jaar is er, dankzij een zeer gulle donatie van contant geld (afgeleverd door een heftruck) en veel inzet, een ware transformatie geweest.

Ik fietste nog een paar kilometer verder, voorbij de grasvelden vol wilde bloemen, de lavendelvelden, de volkstuintjes, en door het pas geplante bos dat nu rond Kersenbloesemvreugd groeide. Neena wachtte me al op bij het buitencafé in het natuurgebied. Nadat we de immer vrolijke chefs – onze moeders – hadden begroet en netjes in de rij hadden gestaan met zo'n beetje de rest van de stad om hun razend populaire brownies en limonade te bestellen, liepen we langzaam over de oever vol gras van de onlangs herstelde Kersenbloesemrivier, die nu weer dwars door de stad klotste en borrelde.

Zonlicht glinsterde op het water.

Ik veegde een pluk geurige bloemen van mijn voorhoofd. En nam een hap van mijn brownie. Ik stelde me voor hoe heerlijk het zou zijn om een duik te nemen na een ochtend in de zon.

'Er was afgelopen week een klein ongelukje bij de drukker,' zei ik heel terloops, nadat ik de laatste kruimel had opgegeten.

'O?' zei Neena, die een wenkbrauw met een gloednieuwe schroeiplek optrok. 'Wat is er gebeurd dan?'

'Nou, ik nam mijn aantekeningen mee, zodat er allemaal boeken gedrukt konden worden over wat er hier allemaal gebeurd is...'

'Ja...' zei Neena.

‘Maar toen ik het manuscript overhandigde aan de drukker, had ik kunnen zweren dat ik een paar zaadjes op de bovenste bladzijde zag liggen.’

Neena keek me aan. ‘Zaadjes? Hoe zagen ze eruit?’

‘Nou, vrij klein. En zwart. Met vier kleine stekeltjes, net kleine kwallen.’

‘Of ruimtewezens?’ vroeg ze, met haar hoofd schuin en een strakke blik op mij gericht.

‘Yep,’ zei ik knikkend, en ik keek op naar de lucht, omdat ik haar niet durfde aan te kijken. ‘Geheel per ongeluk, uiteraard. Ik voel me er echt vreselijk over.’

Neena schraapte haar keel. ‘Wil je soms zeggen dat er in een van die boeken Zonderlinge Zaadjes tussen de bladzijdes verstopt zitten?’

Ik keek naar mijn vieze vingernagels. ‘Eentje,’ gaf ik toe. ‘Of misschien twee.’

‘Dus als er ergens in het land een kind is dat lekker in bed gaat liggen om dit boek te lezen, dan zou het kunnen dat er een Zonderling Zaadje uit valt en op zijn hoofd landt? En dat er dan, mits de omstandigheden juist zijn, een heel nieuwe epidemie uitbreekt?’

Ik knikte. ‘Ja, dat zou zomaar kunnen.’

We keken elkaar aan.

‘Laten we maar duimen dan,’ zei Neena.

‘Ik doe mijn best,’ zei ik.

We keken samen uit over de rivier. Er heerste een prettige stilte terwijl de rivier zachtjes voortkabbelde door de stad. En heel eventjes dacht ik iets te horen wat leek op een oude vrouw die zacht grinnikte.

EINDE

Dankwoord

Mijn dank gaat uit naar mijn allereerste lezers Bon, Jayden, Milly, Harry, Esme en Eliana, die zulke aardige dingen zeiden over mijn tweede kladversie en me aanmoedigden om door te gaan; naar de leden van het SCBWI Zuid-West voor hun enthousiasme en advies, met name Jan, Mike, Fran, Amanda en Nicola K; naar 'Warrior' Jules, 'Canadian John' en Penny voor peptalks onderweg, Sally en de Gibbs Gang voor het gebruik van namen en voor de voorraad cake om me op de been te houden; naar mijn vriendinnen Vicky, Meg en Melissa omdat het geweldige mensen zijn, en het allermeest naar Ben, die me heel lang warm heeft gehouden, gevoed en in leven heeft gehouden.

Toen ik klein was zorgden mijn ouders er altijd voor dat ik

boeken te lezen had en bibliotheken kon bezoeken. Dank je wel, mam, dat je verhalen voor me schreef terwijl je werkte en dat je me griezelige Duitse sprookjes vertelde. Dank je wel, pap, voor jouw liefde voor taal. Zonder jullie zou ik geen schrijver zijn geworden.

Agatha Wonderlingh had enige tijd nodig om haar aanwezigheid kenbaar te maken, en daarvoor – en voor het vechten voor mijn verhaal wanneer ik dat het hardst nodig had – wil ik graag mijn agent, Silvia Molteni, bedanken. Een enorm dankjewel ook aan mijn redacteur, Nick Lake, en het team van HarperCollins UK omdat jullie, je weet wel, MIJN DROOM HEBBEN LATEN UITKOMEN.

En Polly, jij heerlijk kind met je liefde voor gras, slakken, bloemen, modder, stenen, stokken, bomen en paardenbloemen, dank je wel voor al die verschillende manieren waarop jij dit boek mogelijk hebt gemaakt. Jij bent het allerbeste wat ik ooit op de aarde heb gezet.